SHODENSHA
SHINSHO

なぜ日本企業はゲームチェンジャーになれないのか

——イノベーションの興亡と未来

山本康正

祥伝社新書

はじめに

◆インパクトの大きさに気づけない

「あなたは今、産業革命というイノベーションを体験しているんですよ！」

もしタイムマシンがあったとして、過去に遡り、産業革命初期に生活している人たちにこう伝えても、おそらくその人はキョトンとしているでしょう。そしてこう言うのではないでしょうか。

「実感が湧かない、本当にうまくいくのかしら？」

この反応、聞き覚えはないでしょうか。大きな技術進歩が社会に浸透するとき、多くの場合は、技術的な仕組みは理解できなくとも、とりあえず使ってみるかという反応になります。すると、メディアの街頭インタビューでは先ほどのような返答になりやすいのです。この文章を読まれている大半の読者の方もそうでしょう。そして、イノベーションが国外で起きていれば、なおさら実感しにくいものです。これは、インターネットで世界中のニュースが知れる現代でも同じことです。ニュースで実感なく「知る」ことと、実感をもってその可能性を「理解できる」というのはまったく別なのです。

　これは、「キャズム理論」というものが関連しています。新しいものが好きな人は「アーリーアダプター」（純粋に技術が好きな人はよいのですが、現実的な理解なしに理想論ばかりを語り、世論を誘導して利益や自己承認欲求を満たそうとする人も混ざっているで気をつけてください）と呼ばれる一方、新しいものに関心がない人が使うまでの間には溝（みぞ）があります。また、新しいもの好きな人でも普通は嗜好（しこう）の偏（かたよ）りがあるため、すべての分野でアーリーアダプターになることは難しいです。ましてや大多数は「新しいものに関心のない人」です。つまり、技術進歩は最初から、全員が賛成して社会に取り込まれるものではないのです。

　インターネットが利用できはじめたときも、携帯電話が出たときも、iPhoneが登場したときも、新型コロナのmRNA（メッセンジャーRNA）ワクチンが開発されたときも同じような反応でした。「何だか、怪（あや）しい」「電波が身体に悪いのでは」「遺伝子に影響はないのか?」といった根拠なき拒絶反応が生まれます。しかし、普及すればそのような反応は消えていきます。たとえば、今、当たり前のように使っている検索エンジンもそうです。その構想段階ではより大きな反対がありました。グーグルの創業者が検索エンジンを開発したときも検索事業者はすでにたくさん存在し、大企業には提案を断られ、出資も100回以上断られています。科学を学んだ身として言えることは、起業・スタートアップやそれに関わる投資に、科学や完全な再現性のある理論などありません。ないものをあるかのように見せかけて商売をするのは詐欺(さぎ)に近いでしょう。

あとから振り返って普及前の批判と組み合わせることでしか、そのインパクトは実用的に評価できないのです。

今から約350年前、科学者のアイザック・ニュートンは手紙にこう書き記したといわれています。

「私が彼方まで見渡せたのだとしたら、それは巨人の肩の上に乗ったからだ」

先人たちが積み重ねてきた業績や先行研究という「巨人の肩」があったからこそ、自分はその上に乗って新しい発見ができたのだ、という意味です。

「天才」と呼ばれたニュートンは、「新発見」がどのような条件のもとで成り立つのかを十分に理解していたのでしょう。

イノベーションも同じです。

貝殻が「貨幣」として使われるようになり、硬貨や紙幣が生まれ、小切手からクレジットカード、電子マネー、そしてビットコインへと形を変えていったように。

予防接種という概念が生まれてワクチンが普及し、物理学とテクノロジーの進化によってレントゲンや胃カメラが医療の助けとなったように。

馬車からガソリン自動車、ハイブリッド車、そして自動運転のＥＶ車へと乗り物が進化を遂げているように。

人類の歴史は多種多様な技術の積み重ねと、そこから生まれるイノベーションの掛け合わせによって発展してきました。

たったひとりの天才が、完全なゼロからのひらめきで世紀の大発明を成し遂げる。

そんなドラマチックなことは現実にはほとんどありません。いずれの土台にも必ず、あらゆる学問の現場で地道に積み重ねられてきた先行研究、もしくはまったく無関係に見える業界の新発見が潜（ひそ）んでいます。

それこそがニュートンが言うところの「巨人の肩」でしょう。

大きな肩によじ登って遠くを見つめながら、新しいアイデアと新しいテクノロジーを組み合わせたときに、初めてイノベーションが起こりうるのです。

◆イノベーションという言葉には万能感がある

イノベーションという言葉には、使うだけでその場の雰囲気をぱっと明るくするような不思議な力があります。


「何かしら新しいものを生み出せるはずだ」

「これが成功したら突破口になるはずだ」


そんな期待感を込めて使われている場面も多いでしょう。

やや斜に構えた見方をすれば、今の日本社会ではひとまず「イノベーション」と口に出しておきさえすれば、「やっています感」を演出できてしまう現状もあります。

言葉の強さと、その響（ひび）きから醸（かも）し出される万能感。それゆえに「イノベーション」が多用されている側面があることも否定できません。

ここで少しだけ、自己紹介をさせてください。

私の職業はベンチャー投資家です。企業の新規事業やコーポレート・ベンチャー・キャピタル（CVC）活動へのアドバイスなども行なっています。

専門は金融とテクノロジーを掛け合わせた「フィンテック」「AI（人工知能）」ですが、ここに至るまでにさまざまな領域をクロスオーバーして学んできたことが、今の自分の大きな強みになっています。

文系と理系、日本と海外、ビジネスとテクノロジー。

私のキャリアパスはこれらの二者を行き来することで形成されたものです。

生物学から金融、テクノロジーまで、さまざまな異なる領域を横断的に学んだからこそ得られた知識と知見を、ひとりでも多くの人に伝えていく「架け橋」になれたら、それによって社会にイノベーションの種を蒔（ま）いていけたら、という思いが常にあります。

グーグル在籍中には、最先端のテクノロジーが世界を大きく変容させるさまを目（ま）の当たりにしてきました。また、イノベーションを生み出せる企業の強さの源（みなもと）には何があるのかを、内側から眺める経験にもなりました。外部への決算資料から見える綺麗事だけではなく、白鳥が水面下でもがいているような泥臭いところも知れたのはとても貴重な経験になりました。
すべての業界の背景には必ず過去に積み重なってきたイノベーションがあり、それらはこれから起きるであろう未来のイノベーションとも、じつは密接につながっている可能性があります。

◆最新動向を追う「だけ」ではイノベーションは起きない

本書では誰にとっても身近な関わりを持つ、「金融」「農業と食」「ヘルスケア」「モビリティ」「エネルギー」「通信・動画」という6分野において起きてきたイノベーションの歴史をご紹介していきます。

社会の歩みを大きく進めた数々のイノベーションは、どんな背景で生まれたのか？
それによって業界にはどんなインパクトがあったのか？
社会や人々の暮らしにはどのような変化がもたらされたのか？

それぞれの分野の専門外の人でも概要が頭に入るように、専門的な用語は使わず、なるべく平易な言葉での解説を心がけたつもりです。

そして終章では、日本企業がイノベーションを起こせなくなった背景と打開策についても提案していきたいと思います。

なぜ日本企業はゲームチェンジャーになれないのか？ イノベーションの興亡と未来を知ることを通じて、その理由が浮かび上がってくるはずです。

業界や自社の今のあり方に危機意識を持つビジネスパーソン、イノベーションを渇望している経営者やマネジメント層はもちろん、起業を考えている人や学生にとっても、きっとビジネスと学びに役立つヒントが見つかるはずです。

著しい進化を遂げているのはＧＡＦＡＭに代表されるテック業界だけではありません。どの業界も日々進歩しています。

しかし、最新テクノロジーの動向「だけ」を追いかけていると、どうしても浅い学びになってしまいます。

そのイノベーションの背後には何があったのか、うまくいった事例よりもうまくいかなかった事例に注目すると、どこを改善すればいいのかが浮かび上がります。「そういえば、メディアや、専門外の人が絶賛していたアレはどうなったんだっけ？」（たとえば、セグウェイなど）というものを改めて見つめ直すことによって、より雑音に惑わされず冷静に次の一手が打てるようになります。

過去からどのような進化を遂げているのかが前提として頭に入っていなければ、表層的な分析と学びだけで終わってしまうでしょう。プロダクトやサービスを単体だけで見るのではなく、文脈と流れも踏まえて判断しなければなりません。

過去は、うまくいかなかった例や的外れな批判も含めて学びの宝庫です。

本書を通じて、イノベーションの本質にあるものについて気づき、各々のビジネスや人生の持ち場にフィードバックしていただくことができたら、著者としてこれ以上に嬉しいことはありません。

2022年6月

山本康正

目次——なぜ日本企業はゲームチェンジャーになれないのか

第1章 新しいお金

第2章 未来の食

第3章　ヘルスケアの進化

第4章 移動の革命

第5章 エネルギーの過去・未来

第6章 スマホによる「再定義」

終章　ゲームチェンジャーの条件

編集協力　阿部花恵
本文DTP　アルファヴィル・デザイン

序章

イノベーションの起源

◆「技術革新」だけではイノベーションにならない

イノベーションとは何か。

その概念はいつ誕生し、何をもたらし、時代の変化とともにどのような意味が付加されてきたのか。本章では広く、多義的な意味を持つ「イノベーション」について、さまざまな角度から検証していきたいと思います。

そもそもイノベーションとは、「技術革新」という日本語に訳されてきました。「革新する（innovate）」という動詞の名詞形ですから、「技術革新」という訳も間違いではありません。しかし、新しい技術を詰め込んだ「新製品」がすべてイノベーションかというと、もちろんそんなことはありません。

イノベーションとは、新しい技術によって開発されたプロダクトやサービスだけではなく、組織のシステムやビジネスモデルなどに新たな価値を生み出し、社会に変革をもたらすものです。つまり、単に新しい技術を使うだけでなく、「新しい価値を生み出し」「社会を変える」現象までを含めたものが、「イノベーション」なのです。多くの方は、発明（invention：インベンション）と混同されているかもしれません。

イノベーションは発明というよりは、いわば時代を切り拓く社会現象です。では、諸手を挙げて最初から歓迎されるかというと逆で、むしろ多くのイノベーションには「登場したときは革新性が過小評価されたものだった」という共通点があるのです。

◆イノベーションの初期設定は「嫌われもの」

iPhoneが登場したとき、既存業界に詳しい専門家の一部は「日本ではそれほど売れないだろう」と予測していました。

ガラケー全盛期だった当時の日本では、「機能面では日本の携帯電話に劣る」「お財布ケータイが使えないのは不便」「ケータイは電話とメールだけできれば十分」「物理的なキーボードがないなんて売れるわけがない」という否定的な声のほうがメディアに取り上げられやすかったのです。

インターネットが誕生したときもそうでした。

「なんだか胡散臭い」「ネットなんてトイレの落書きと同じ」「詐欺が多いからクレジットカードの番号を入力するなんて危ない」などのネガティブな情報ばかりが先行していた初期のインターネットは、アンダーグラウンドな雰囲気が漂う怪しい空間とみなされていました。

さらに時代を遡るならば、馬車の時代を終わらせることになったガソリン自動車も、世に出た最初の数年間は嫌われものでした。

ガソリン自動車が現れるまでの長い間、都市や建築、公道はガソリン自動車のための仕様にはなっていませんでした。今のガソリンスタンドなんてものはまだなかった時代に、煙を出して走る「馬のない馬車」がすぐに受け入れられるはずはありません。それどころか、「どうして馬車があるのに車に乗る必要がある?」「あれは悪魔の乗り物だ」と激しく反発する声もあったといいます。

◆パラダイムシフトと風当たりの強さ

けれどもその後、大量生産体制が確立されて大衆のものとなったおかげで、ガソリン自動車は「20世紀は自動車の世紀」と呼ばれるほどの時代のシンボルになりました。インターネットやスマートフォンの普及も同様です。

革新的な技術は、優れたものであればあるほど、登場直後の風当たりが強くなります。従来の価値観や既存のシステムを破壊しにかかってくる存在、異分子ですから、考えてみればそれも当たり前の反応でしょう。

今の時代で考えるならば、暗号資産（仮想通貨）がそうした過渡期のステージにありま す。しかし、ロシアによるウクライナ侵攻に伴い、世界中から集まった暗号資産によるウクライナへの寄付は、侵攻から約1ヵ月後の2022年3月20日時点で6063万ドル（約72億円）にものぼりました。

登場した直後は反発や戸惑い(とまど)から激しく嫌われるが、いったん社会に受け入れられるとその後の普及スピードが恐ろしいほどに速い。これもまた、イノベーションの特徴のひとつといえるでしょう。直近では新型コロナへの活用されたmRNAワクチンも当初は根拠なき疑念を持たれましたが、瞬く(またたく)間に普及しました。

◆イノベーションの概念が生まれたのは約100年前

さて、ここまでの具体的なエピソードを通じて、イノベーションとはどんなものか、肌感覚でつかめたのではないでしょうか。

次はもう少しだけ抽象度を上げて、3人の専門家によるイノベーション理論についても触れてみましょう。じつはイノベーションという概念は、新しいようでいて100年以上も前から存在していた概念なのです。

最初にイノベーションという概念を提唱したのは、オーストリアの経済学者ヨーゼフ・シュンペーターでした。シュンペーターは1912年に上梓した著書『経済発展の理論』（岩波文庫）で、「新結合」という言葉を用いて、「経済活動の中で生産手段や資源、労働力などをそれまでとは異なる仕方で新結合すること」による経済発展理論を展開します。

異質な新しいものを導入し、既存の産業構造を破壊することが経済発展につながると主張し、「新しい何かを導入する」という意味を持つラテン語の「innovare」をもとにした新たな造語として、「innovation（新結合の実行＝イノベーション）」を生み出しました。彼が提唱した5種類のイノベーションは次の通りです。

◆シュンペーターの「5種類のイノベーション」

①プロダクト・イノベーション

それまでに存在しなかった、革新的な新しい製品やサービスを開発すること。

②プロセス・イノベーション

製品やサービス自体を変化させるのではなく、生産工程や流通を改善すること。

③マーケット・イノベーション

新たな市場に参入し、新規顧客、新規のニーズを開拓すること。

④サプライチェーン・イノベーション

製品の原材料やその供給ルートを新規で開拓・確保すること。

⑤オーガニゼーション・イノベーション

組織を変革することで業界や企業に大きな影響を与えること。

シュンペーターが提唱したイノベーション理論は、市場に新しい価値を生み出すための組み合わせの方法論とも表現できます。

馬車がガソリン自動車になった事例は、①のプロダクト・イノベーションです。技術の進化によるプロダクトの進化。これが最もわかりやすいイノベーションの形といえるでしょう。②～④はいずれも企業内部で求められる変化です。

ちなみにシュンペーターはイノベーションの実行者を起業家（企業家とも。entrepreneur（アントレプレナー））と呼んでおり、近年でもイノベーションがセットで語られるのが多いのは、起業家の語源自身がフランス語でentre（間）+preneur（担い手）という「中間を取り持つ」仲買人の意味があったので元々近いコンセプトなのです。

◆クレイトン・クリステンセンの「イノベーションのジレンマ」

2人目の提唱者はハーバード・ビジネススクール教授のクレイトン・クリステンセンです。企業におけるイノベーション研究の第一人者である彼は、著書『イノベーションのジレンマ』（翔泳社）で、イノベーションには「持続的」「破壊的」の2種類の手法があると解説しています。

●持続的イノベーション

顧客の意見や要望を取り入れながら、既存の製品をアップデートさせていくイノベーションのこと。

●破壊的イノベーション

既成概念にとらわれず、新たな発想を積極的に取り入れて、新製品や新サービスを生み出していくイノベーションのこと。

前者の「持続的イノベーション」は、ひと言でいえば「改良」です。既存製品の性能を向上させ続けることで、メインの顧客をつなぎとめていく手法です。一定期間は安定した利益が得られるかもしれませんが、成長幅が大きくなることはほぼありません。

これに対して「破壊的イノベーション」は、その名の通り〝破壊者〟です。革新的な技術やアイデアなどによって、従来とはまったく異なる新たな価値基準を市場にもたらすのが破壊的イノベーションにあたります。

◆トヨタが起こした破壊的イノベーション

既存製品をアップデートさせていく「持続的イノベーション」は、普通の企業であればどこでも実践しているやり方です。ただし、顧客のニーズがそこにないにもかかわらず、アップデートが過剰になると、あとからやってきた「破壊的イノベーション」にポジションをさらわれてしまう可能性が上がります。

かつての日本企業は何度も破壊的イノベーションを起こしてきました。

１９６０年代までのアメリカでは、パワフルな大排気量エンジンを搭載したきらびやかな大型車が販売台数を伸ばして絶好調でした。しかし、そこへトヨタ自動車が開発した「コロナ」に代表される丈夫なボディと低価格が売りの日本産小型車が登場します。しかし、ゼネラルモーターズ（GM）やフォードの経営陣は、大型車と小型車の利益率を比べた上で自分たちの優位性は失われない、と固く信じていました。

その後、日本の小型車市場が急速に拡大すると、GMやフォードが本拠を構えていた自動車の街・デトロイトは衰退の一途をたどりました。2013年には財政が悪化し、180億ドル（1兆8000億円）というアメリカの自治体の中では過去最大規模の負債総額を抱えて破綻（はたん）に追い込まれました。

誤解されやすいのですが、「破壊的イノベーション」はまったく新しい性能を持つプロダクトの登場によるブレイクスルーとは限りません。日本の小型車がアメリカの大型車の売上を追い抜いたのは、性能の優劣よりも手頃な価格で多くの人が購入できる機会を拡大させたからに他なりません。

第4章でも詳しく解説しますが、馬車の時代を終わらせたのは最初に現れた高級車ではなく、大量生産システムの確立による大幅なコストダウンと運転の簡略化を成功させたT型フォードでした。

より多くの人がアクセスできるようになると、市場は拡大します。T型フォードがベストセラーカーになったのは、自動車の大衆化に成功したことによって自動車を運転する人口を増やし、人の移動や物流システム、都市計画、ライフスタイルまでをも変容させたからです。

◆トップ企業ほどタイミングを見誤る

かつて馬車がT型フォードに取って代われたように、きらびやかで派手な大型車は、安くてコンパクトで運転しやすい小型車に置き換えられていきました。勝負のポイントは性能ではなく、実用的な価格で、大衆が手にできる形に変えることによって大きな可能性が生み出されたのです。新規企業が業界トップシェアを誇る企業や既存企業を打倒するときには、この法則が成り立っているといってもいいでしょう。アップルのiTunesに代表される音楽配信サービスの登場によって、CD市場が一気に縮小していったのも同じ構造です。

しかし、業界のトップを走っている企業ほど、新たな変化の兆しを見逃し、他社の追随を許して最後には追い越されるという問題があります。

自社が優位を保っているときは、人も企業もどうしても変化を過小評価しやすいのです。クリステンセンはこの課題を「イノベーションのジレンマ」と名付けました。大手企業ほどイノベーションが起こしづらいといわれるのもこのジレンマが原因です。

◆イノベーションのジレンマが発生する5つの原因

①短期的利益を重視する顧客や株主の意向が優先されるため。
②小規模な市場では大企業の成長ニーズを満たせないため。
③まだ存在していない市場は分析できないため。
④既存事業の能力が高まることで異なる事業が行なえなくなるため。
⑤既存事業の技術力向上と市場ニーズの間には常に相関性があるわけではないため。

これら5つの原因はいずれも、中小企業よりも大手企業に心当たりがあるでしょう。そもそも大手企業は、本来的にイノベーションを起こしづらい外部環境に身を置いているのです。

ちなみに、クリステンセンは発売直後の iPhone を見て、「しゃれた携帯電話にしか見えない iPhone が成功するとは思えない」と述べています。イノベーション研究の始祖と呼ばれた経営学者ですら、iPhone のヒットは予測できなかったのです。

あと出しで「iPhone はヒットするに決まっていた」と言い切るのは簡単です。しかし、登場したばかりのときにそのプロダクトがもたらす影響を正確な方向性で予測することは非常に困難なのです。

◆「オープン」と「クローズ」という新たなフレームワーク

3人目の提唱者は「オープンイノベーション／クローズドイノベーション」という新たなフレームワークを定義した、当時ハーバード大学経営大学院助教授で、現カリフォルニア大学バークレー校ハース・スクール・オブ・ビジネス客員教授のヘンリー・チェスブロウ氏です。

彼は2003年に著書『オープンイノベーション』（産能大出版部）の中で、業界に関係なく、自前主義で研究開発に最も投資をした企業が必ず勝てるわけではない、という規則性を見つけ出します。その概念を説明するために生み出されたのが「オープンイノベーション」という概念です。

●クローズドイノベーション

人材、研究、技術から製品開発までを自社のみの経営資源でクローズして行なうイノベーション。いわゆる「自前主義」であり、1990年代以前はこの手法が主流だった。市場に出るまで一定の期間が必要とされるが、競合他社に模倣されない、成功すれば自社で利益を独占できるなどのメリットがある。

●オープンイノベーション

自社だけでなく、他社の資源や他業種が持つ技術・ノウハウを積極的に取り入れるイノベーション手法。研究機関や他社と協働することによって、異なる技術や新たな価値を創造しやすくなり、市場に出るまでの期間を短縮できる。

クローズドイノベーションからオープンイノベーションへと流れが変わった大きなきっかけは、インターネットの登場です。1990年代以降、インターネットのテクノロジーが飛躍的に発展したことによって、産業構造は大きく変化し、人材の流動化も加速しました。新たなテクノロジーが登場するたびに流行はめまぐるしく移り変わり、市場の競争も激化しました。するとこれまでは数年スパンで開発していた製品が、リリースする頃にはすっかり時代遅れのものになってしまう、という事態も起きます。

端的にいえば、大企業といえども自社の資源のみでのんびりと製品開発をしているだけでは、イノベーションを起こすことは難しい時代になっているのです。現在の日本企業でもオープンイノベーションが主流になっています。

◆ゼロイチでも偶発的でもない

ここまでご紹介してきた理論とフレームワークを振り返れば、イノベーションはゼロからイチを生み出せる天才によるアイデアや、偶発的な発見「だけ」では到底起こせないことがわかるでしょう。

ビジネスは複雑な要因がいくつも絡(から)まって成り立つ世界です。

いつの時代も、どんな業界でも、常に絶対の正解が用意されているわけではありません。そして変化が激しい今の時代だからこそ、多くの企業が一歩でも前に進むためにイノベーションを創出する必要に迫られているのです。

変化に対応できない企業はあっという間に淘汰(とうた)されていく今の時代、成長を続けていく上でイノベーションは欠かせないものです。既存の性能をひたすらにアップデートするだけの行為は、たんなる思考停止に陥ってしまっています。そのときどきの顧客のニーズを無視して過剰に機能を「足し算」していくだけの自己満足なプロダクトやサービスは、すぐに見放されてしまいます。

終章で詳しく説明していきますが、日本企業は「足し算」に走りすぎて本質を見誤る傾向があります。すでにあるプロダクトに改良を加えていくことには長けているのですが、逆に「引き算」が苦手な傾向にあります。

それがよくわかる象徴的なアイテムがあります。

自宅にあるテレビのリモコンを見てください。まったく使わない機能のボタンがやけにたくさんあると思いませんか？　おそらく世界一ボタンが多いリモコンは、日本のテレビのリモコンでしょう。

では、そのボタンを使いこなしているのかと問われれば、よく使うボタンはごく一部で、ほとんどのボタンは一度も押したことがない、と答える人のほうが圧倒的に多いのではないでしょうか。そもそも物理的なリモコンそのものをなくしてテレビを操作するにはどうすればいいのかを常に考えなければなりません。

どこで、どの機能を「引く」かを判断するのも、イノベーションを起こすためには欠かせません。しかし、企業の評価制度が減点主義であるがゆえに、どのボタンを「引く」かの決断を先送りにした結果、使い勝手の悪い負債が過剰にたまってしまった。これを体現しているのがリモコンのボタンではないでしょうか。

◆ただしイノベーションは多産多死である

一方で、シビアな現実にも目を向けなければなりません。

時間と人材と開発資金を費（つい）やしてイノベーション施策に取り組んだとしても、成功するケースはごくわずかです。

多産多死であること。これがイノベーションの最大の難しさといえるでしょう。

ひとつの華々しい成功の陰には、その10倍以上の失敗例の屍（しかばね）がある現実を頭に入れておいてください。期待値を低く保ちながら、それでもiPhoneがガラケーを駆逐（くちく）したときのように万が一の可能性に賭（か）けて、あらゆる手を打ち続ける。

これがイノベーションに向き合う際に求められる企業の基本スタンスです。

「アイデアは出るが事業として育たない」

「会社として新規事業をやりたいが、なかなか実現しない」

「上に〝やっています感〟をアピールしているだけで終わってしまうことが多い」

そうした悩みを抱える企業は少なくないでしょう。

しかし、イノベーションの語源である「新結合」に立ち戻ってみれば、できることはまだまだあるはずです。イノベーションはゼロイチの大発明ではなく、既存にはない異質なもの同士の組み合わせから誕生します。普通に思いつく程度の組み合わせであれば、もうとっくに出尽くしているでしょう。

一方で、テクノロジーは日々進化を遂げています。以前には失敗した組み合わせであっても、「今ならこの技術を使えるから、もしかしたらうまくいくのでは？」という突破口が見つかることもあります。

だからこそ、文系理系に関係なく、すべてのビジネスパーソンは常に最先端のテクノロジーに目を光らせなければなりません。

◆期待値を下げ、それでもホームランを狙う

モバイルデバイス黎明期の１９９０年代後半、Ｐａｌｍ（パーム）と呼ばれたＰＤＡ

（Personal Digital Asisstant）端末がありました。

手のひらに載る持ち運べるサイズで、ＰＣとも同期できたＰａｌｍは、当時、処理速度があまりに遅いという難点がありましたが、スマートフォンと通じるところがあります。

この市場はじつは、アップルが元祖ＰＤＡと呼ばれたNewtonという端末を92年の国際的な展示会ＣＥＳで発表し、93年に当時のジョン・スカリー社長がＰＤＡという言葉を宣言して発売しています。しかしながら、価格の高さ（当時のレートで10万円ほど）や、手書き文字の認識精度に難があり、一般消費者に爆発的に売れるほどにはなりませんでした。その後、ソニーやＩＢＭなど多くの企業がＰＤＡ市場に参入し、96年にＰａｌｍが最初の製品を発売した後はＰａｌｍが市場で優位になりました。しかし、その苦い経験もあってスタイラスペンを使わない初代iPhoneが誕生したともいわれています。

つまり、あのアップルですら、当時スティーブ・ジョブズがいなかったとはいえ、一打席目の一球目からホームランを飛ばせたわけではないのです。

期待値を下げつつ、あらゆる可能性を模索しながら、打席に立ち続ける。

イノベーションを起こすための基本的なスタンスは、大企業でも中小企業でも変わりません。

◆新結合とはサンプリング&リミックスに通じる

イノベーションは既存にはない異質なもの同士の組み合わせから誕生すると述べましたが、これは芸術とも共通しています。

芸術の多くは、模倣から始まります。

模写を重ねること、「型」を学ぶことを経て初めて、アーティストは自分なりの作家性を見つけ出していきます。最初から唯一無二のオリジナリティを持つアーティストは世界中を探してもほとんど存在しません。誰もが、何かや誰かに影響を受けて、ものを創り出しています。「型」を知っているからこそ、それを崩せるようになるのです。

一方で、いつまでも「型通り」のことばかりをやっていては、自分のスタイルは見つかりません。音楽のようにサンプリングして、リミックスする。その新結合によって、新しいものを生み出していくのはアートもビジネスも同じといえるでしょう。

日本は元々、車にせよ、テレビにせよ、ゲームにせよゼロからイチというよりは既存のものを改良して成長してきた国です。それを突然ゼロからイチを作るようなものづくりを目指すというのは、この先の時代においても成立させることが困難なように思われます。

◆なぜ日本人は「型を崩す」のが下手なのか

終章で詳しくお伝えしていきますが、日本企業は「型通り」に進めることには非常に長けていますが、「型を崩す」ことが他国と比べるとどうしても不得手(ふえて)な傾向にあります。

きっちりと型の通りに遂行することも、性能を磨いてアップデートしていくことも得意であるにもかかわらず、異質なアイデアやテクノロジーを組み合わせて「型を崩す」ことには抵抗感が強いようです。

これは島国のほぼ単一民族国家という日本の成り立ちとも無関係ではないでしょう。

メンバーの同質性が高く、空気を読んで察する国民性が土壌にあるため、異なる意見が出づらく、また通りづらいのです。

一方で、同質性が高い組織は進むべき方向性が一度決まってしまえば強いという長所もあります。高度経済成長期、日本企業らしい生真面目さと同質性の高さがダイレクトに経済成長にも直結したのでしょう。

しかし、不確実性が高まっている今のような時代は、同質性の高さは弱点にもなります。ましてや日本発のイノベーションはなかなか生まれにくいのです。

そして不安定で不確実な時代にこそ、遠くの業界の異なる意見や視点が長期でより「効いて」くるのです。

◆文系・理系の教育システムの弊害

日本人が型を崩すことが苦手な理由としてもうひとつ、私は文系と理系を分けてしまう教育システムに関係があると思っています。

「理系だからテクノロジーだけわかっていればいい」

「文系だからテクノロジーがわからなくて当然」

社会人になってからもそのような意識のまま、棲み分けが恒常化してしまえば、「そっちは自分の持ち場ではないから」と消極的になることにつながります。すると、異質な視点がクロスする、せっかくの貴重な機会が失われてしまいます。

テクノロジーと感受性、両方の視点を持てるような人材もなかなか育たないでしょう。

今現在、最先端を走っている企業の多くは、意識的にか無意識なのかはわかりませんが、2000年代初頭からこうしたミックスした履歴を持つ人材を積極的に採用してきた、もしくは集まってきていました。私も理系であっても金融がわかるなど、領域を跨いできた経歴でグーグルに採用されています。グーグルには当時一般的に天才と呼ばれるような優秀なエンジニアが多数いましたが、それ以外にも一人ひとりが違った能力を持った多様な集団でした。

既に検索という強いプロダクトがあり、収益が十分あるからこそできることもあるため、単に日本企業が形だけコピーするべきではありませんが、画一的な能力を求めるのではなく、各個人の能力を活かし、社外の人とも積極的に交流する工夫がされていました。それが大きなテクノロジーの潮流であった、動画、モバイル、人工知能などを乗り越えていく原動力になっていると思います。

イノベーションは異質なモノや人同士が交差する接点から基本的に生まれます。スティーブ・ジョブス氏のような、圧倒的なセンスの持ち主が社長ならともかく、人材の多様性というのは決してお題目ではなく、組織がイノベーションを本気で起こすための必要な条件になりつつあります。

イノベーションは異質なモノや人が交差する接点から生まれます。人材の多様性というのは決してお題目ではなく、組織がイノベーションを本気で起こすための必要な条件なのです。

◆YouTuberは格下の存在ではない

馬車がT型フォードに、ガラケーがスマホに、CDが音楽配信サービスにシフトしたように、「業界のトップ企業ほど変革のタイミングを見誤る」というイノベーションのジレンマについてはすでに述べました。これと近いものに、「その道のプロフェッショナルほどイノベーションを過小評価する」という共通点があります。

業界をよく知る専門家、ベテラン技術者、ヘビーユーザーのように、そのジャンルに思い入れやこだわりが強く、深くコミットしている人ほど、のちにイノベーションと呼ばれるものに対して、最初は強く反発する傾向が見られます。第6章で詳しく解説しますが、YouTube(ユーチューブ)が登場したときもそうでした。

映像業界の多くのプロたちからは、「こんな素人の動画が面白いわけがない」「画質が粗くてストレスだ」などと否定的な声があがりました。

しかし、素人とプロでは母数が圧倒的に違います。10万人の素人が動画を投稿するようになれば、なかには必ず抜群に面白い映像や、プロが唸るようなユニークな着眼点の映像などが出てきます。

「ユーチューバーはたんなる素人。テレビに出ている役者には敵わない」

「映像業界のヒエラルキーは映画が一番高く、次がテレビドラマ、ユーチューブは最下層」

そんな風に受け止めている人が過去にはいましたが、その認識はまったくの誤りです。

先入観のない若い世代ほど、旧来のヒエラルキーや役者の格といったものにとらわれることなく、自分の好みに素直に、見たい人の動画を見ているのが今の時代です。

業界構造を知る映像関係者ほど、そういった原理で物事が動き始めていたことに気づくのが遅れてしまったのではないでしょうか。

２００６年にグーグルが自社のグーグル・ビデオでは追いつけないと悟り、ユーチューブを買収するという〝革命〟が起きたときには、すでに業界の変化は始まっていたのです。そして、近年ではTikTok（ティックトック）など新しい短編動画サービスでさらに変化は加速していきます。

◆プロほどイノベーションの革新性を見誤る

映像業界に限らず、あらゆる業界で同じことが起きています。

「専門家が認めた最先端のテクノロジーを苦労して詰め込んだのだから、きっと売れるはずだ」という思い込みは、あまりにもユーザーの声を軽視しています。

もちろん、多くのイノベーションはひと目で判断できるものではありません。イノベーション研究の始祖であるクリステンセンがiPhoneの価値を見誤ったように、革新的なプロダクトやサービスの本当の価値は、多くの場合、じわじわと時間をかけて理解されていきます。そうして数年後に研究論文が発表され、定性評価を得られたときに、初めて「イノベーションであることを歴史が証明した」となるのでしょう。

ですから、初対面で判断できなくても問題ありません。

ただし、「こんなのは売れないだろう」と表層的な情報だけで軽率に判断を下してしまうと、あっという間に時代に追い抜かれてしまいます。

「もうオジサンだからわからない」「古い人間には理解できないなあ」といった態度も、一見へりくだっているようで、じつは理解することを早々に諦めて開き直っている、思考停止状態です。少なくとも、そのサービスを実際に使ってみることなしに批評するのは判断を誤ります。批評家と事業家は違います。批評家気分では新しいビジネスは生まれません。実業家はその実体験をもとに、次の事業を常に考えなければなりません。

それこそが過去30年間の時価総額ランキングにおいて、日本企業が衰退の一途をたどったことの一因ともいえるのではないでしょうか。

1989年の世界時価総額ランキングトップ50を振り返ると、1位の日本電信電話（NTT）を筆頭にトップ5を日本が独占し、全体を見ても50社中32社を日本企業が占めていました。

しかし2022年の最新ランキングでは、トップ50に入った日本企業はただ一社、31位のトヨタ自動車だけです。この30年間で世界経済は大きく成長したにもかかわらず、日本企業が停滞している間に、他国に追いつかれ、追い抜かれ、そして圧倒的な差をつけられてしまったのです。

もちろん、この間にもデンソーが開発したQRコードのような革新的技術の発明もありました。QRコードの開発者とデンソーは、その技術を広く応用してもらえるようにと特許を開放しましたが、その結果、何が起きたかというと、中国でQRコード決済が急速に普及・発展したのです。つまり、日本で生まれたQRコードが、中国でイノベーションを起こしたのです。

アイデアと技術は偉大だったが、そこからの応用という意味では中国のほうが一枚も二枚も上手でした。特許を開放し、技術特許使用料を取らないことにしたデンソーの姿勢それ自体は公共への貢献という意味では素晴らしいものですが、その後の中国の応用技術と一般市民の生活への広がりを見ると、やはりもったいなかったという見方ができます。

ソニーが開発したFeliCaチップを使った交通系電子マネーのSuicaも同様です。Super Urban Intelligent Cardの頭文字のとおり、登場した2001年11月には世界で最先端の決済技術のひとつでした。しかし、そのデータを活用した新しいビジネスを創出することには至らず、主に日本で使われる技術のままです。

◆どんな問題を、誰のために解決したいのか

なぜ私たちはイノベーションを必要としているのか。それによって、どんな問題を、誰のために解決しようとしているのでしょうか。

その答えを知るためには、過去の事例を学んでおく必要があります。

過去は最高の教科書であり、歴史は雄弁です。当時当たり前と思っていたことが数十年後には新しいものに代替される。今の常識は未来の非常識になっていくのです。どんなに優れたアイデアやテクノロジーであっても、それをただポンと放り出しただけでは機能し

ません。新しい発明が世に受け入れられるようになるまで、過去のイノベーターたちがどのように関係者を調整し、認知を広め、理解と利用を促してきたかを知ることは、現代を生きる私たちに必ず大きなヒントを与えてくれるはずです。

続く第1章からは金融、農業と食、ヘルスケア、モビリティ、エネルギー、通信・動画の各産業分野におけるイノベーションの歴史を振り返っていきたいと思います。

人類が歩んできた発明と発展の歴史を振り返ることは、私たちの世界でどのようなイノベーションが起きてきたかを検証することに他なりません。週刊誌などでは、数年などの比較的短い考察が多いですが、この本ではあえてより長い期間での大局観に焦点を当てています。

視野を広げ、視座を高くして、その業界ではどのようなイノベーションが求められ、受け入れられ、必要とされてきたのか。数々のイノベーションが世界にどのような気づき・インパクトを与えてきたのかを知るために、イノベーションの歴史をたどっていきましょう。

第1章

新しいお金

◆お金は社会を循環する「血液」である

自分が持っている物と、欲しい物を交換する。

お金の誕生のきっかけ、すなわち人類の経済活動の出発点は、物々交換から始まったといわれています。けれども違う物同士の交換は条件が不平等になりやすかったため、次第に貝殻や石、骨、塩のように、多くの人々が共通に価値を感じ、かつ長く保存や持ち運びが利くものが「交換道具」として使われていくようになりました。

しかし、それでも大きさや形にばらつきが生じたり、誰もが等価の価値だと認めたりするのが困難だったことから、「貨幣」という新たな道具が誕生します。この貨幣の誕生こそが、経済の歴史における最初のイノベーションです。

世界最古の鋳造(ちゅうぞう)貨幣は、紀元前7世紀に古代リディア王国（現在のトルコ）で造られた「エレクトロン貨」と呼ばれる硬貨です。川から採取した砂金を溶(と)かし、均一の重さに揃えて平らにしたこのエレクトロン貨は、割れづらく持ち運びが楽だという大きなメリットがありました。東西の人々が行き交う交易が盛んだった首都で、商取引を円滑にするために考案されたものだと考えられています。

硬貨はやがて今の私たちに馴染みがある円形のコインとなり、種類も増え、価値によって使い分けられるようになりました。偽造されづらい紙のお金＝紙幣の普及は印刷技術が発達した19世紀まで待たなければなりませんでしたが、貨幣は体内を循環する血液のように、世の中をぐるぐると巡って社会や経済を動かしていく重要な存在へと成長していきました。

◆「BANK」の由来は両替商の長机

社会をめぐる貨幣の供給量が増え、動きが活発化していくと、銀行の役割を果たす存在が登場します。

穀物がお金の役割を果たしていた古代エジプトでは、穀物倉庫が現在でいう「為替（かわせ）」業務を担（にな）っていました。交易が盛んだった12世紀の北イタリアでは都市間の貨幣交換を行なう両替商という仕事が生まれます。両替商たちがイタリア語でBANCO（長机）と呼ばれる台の上で量目（りょうめ）を計ったり交換業務を行なったりしていたことが、銀行（Bank）の名前の由来になったことは有名です。

やがて大航海時代に突入すると、世界初となる株式会社「オランダ東インド会社」が誕生します。ハイリスク・ハイリターンの航海を実施するためには多額の資金が必要でした。そこで考案されたのが、株式を発行することで大勢の人からお金を集める方法です。株式会社のシステムは合理的な資金調達方法として、その後、世界へと広がっていきました。

18世紀にイギリスで産業革命が始まると、経済・金融の中心はロンドンへと移ります。産業革命はより多くの富(とみ)を社会と国家にもたらし、大量の国債発行によってヨーロッパの金融市場はさらに活気づきます。

◆意外と短い「中央銀行」の歴史

しかし、ペストの流行や戦争、大恐慌のような出来事が起きると、物価が不安定になり、経済は回らなくなります。そのような事態を繰り返すうちに、社会におけるお金の総量を規制・コントロールしたほうがいいのではないかという意見が出るようになりました。

こうして物価の安定や通貨の発行業務、政府の国庫金を扱う機能を有する機関として、現在の金融システムの中核となる「中央銀行」が設立されます。

１９００年には18行だった中央銀行は１９２０年代から急増し、１９９０年代には１６０行を超える状況となりました。

「通貨の番人」とも呼ばれるように、通貨量をコントロールする権限を持つ中央銀行は、現在まで続く中央集権型の経済システムの基盤となります。

現代を生きる私たちにとっては、この経済システムが社会でずっと続いてきたかのように勘違いしそうになりますが、日本で中央銀行が開業したのは１８８２年。通貨の発行が始まったのは１８８５年ですから、まだ１４０年ほどの浅い歴史しかないのです。

◆リーマン・ショックで見えた金融システムの脆さ

直近の１００年を振り返っても、ウォール街の大暴落に端を発した世界大恐慌や日本のバブル崩壊など、さまざまな金融危機が引き起こされてきました。

とりわけ、世界経済を揺るがしたのは iPhone が発売された翌年、２００８年に起きたリーマン・ショックによる大規模な金融危機です。

アメリカで低所得者層向け住宅ローン（サブプライムローン）が不良債権化したことによって、最初に実質的な経営破綻に追い込まれたのは大手投資銀行のベア・スターンズでした。しかし、政府の仲介によってＪＰモルガンがベア・スターンズを買収。これによってベア・スターンズは息を吹き返しますが、政府による過剰な介入はアンフェアであると批判が噴出します。

さらに、その半年後には大手投資銀行のリーマン・ブラザーズが倒産。ベア・スターンズのときと同じく救済されるかと思いきや、買い手が現れなかったため経営破綻に追い込まれ、それが引き金となって他の大手銀行や不動産会社も次々に倒産し、世界的な金融危機へと発展していきました。

当時、三菱東京ＵＦＪ銀行（現・三菱ＵＦＪ銀行）米州ニューヨーク本部に勤務していた私にとっても、リーマン・ショックは現在の中央集権的な金融システムが抱える脆さと欠点を痛感する出来事でした。

◆ビットコインがもたらした金融デジタル革命

しかし、大きな悲劇はときに偉大なイノベーションの登場を後押しします。

リーマン・ショックが起きた２００８年、サトシ・ナカモトを名乗る匿名の人物（もしくは複数人）が、インターネット上で『Bitcoin: A Peer-to-Peer Electronic Cash System』

と題した論文を発表します。

既存の金融システムの欠点を指摘し、代替案として互いの承認と監視によって成り立つ分散台帳をベースとした新しい金融システムと「ビットコイン」の構想を提示したこの論文は、世界に衝撃を与えました。

このシステムを支えるアイデアとして提唱されたのが、のちに「ブロックチェーン」と呼ばれるデータベース技術の一種です。ブロックチェーンは同じデータを複数の場所に分散・管理し、新規に入ってくるデータを参加者同士が暗号などを活用することで、相互に認証するシステムを構築できます。ブロックチェーンの仕組み自体は金融に特化する必要はないため、さまざまな社会システムにも活用できる可能性を秘めています。

そもそも、お金とは価値の交換や保全のために生まれた手段です。時代に応じて形が変わっても、必ずしも有形ではなくても、交換のために機能するのであれば問題ありません。むしろ価値交換をよりスムーズにする手段であることを考えれば、まるで空気のように形がないほうがいい。

血液の存在意義は体内を巡ることではなく、体の隅々に酸素を届けることです。金融も同様です。1兆円を現金でただ並べておいても、何の付加価値も生まれません。

あらゆる場でさまざまに活用され、価値交換を媒介することによって、初めて1兆円に付加価値が生まれるのです。

◆ブロックチェーンがイノベーションの源泉に

サトシ・ナカモトの論文が発表される以前から、脱中央集権化を主張する思想、ピラミッド構造の大きな政府がすべてを管理する社会はおかしいという議論はありました。けれども、非中央集権型の分散型システムを構築するために現実的に有効なテクノロジーが、それまでは広まっていませんでした。

だからこそ、サトシ・ナカモトの論文に感銘を受けた開発者や研究者たちは、サトシ・ナカモトが誰かということは確認しないまま、報酬というよりは技術的好奇心、社会的なインパクトに興味を持って信じられないほどスピーディーに動き出します。公開から3ヵ月後の2009年には第一号の暗号資産として「ビットコイン」が誕生、翌年にはビットコインを両替できる取引所も設立されています。その後もイーサリアム、リスク、リップル、ネムなどの暗号資産が続々と生まれます。2021年にはアメリカ最大級の暗号資産取引所「コインベース」がナスダックに上場しました。

また、ツイッターの創業者であり、2021年に退任したジャック・ドーシー氏は、自身が率いる決済サービス企業「スクエア」の社名を「Block（ブロック）」に変更しました。暗号資産とブロックチェーンへの同氏のコミットメントの深さがうかがえるエピソードといえるでしょう。今後の「ブロック」の事業展開が、業界全体をさらに変えていく可能性も十分にあります。

中米のエルサルバドル、中央アフリカの2ヵ国は、他国に先駆けてビットコインを法定通貨に採用しています。日本に置き換えると、「円」と同じように「ビットコイン」が使われる社会になった、ということです。

わずか10年ほどの短期間でビットコインをはじめとした暗号資産がいかに猛スピードで広がり、ドラマチックな変化をもたらしたかがよくわかります。

◆デジタルコンテンツに価値を生むNFT

ブロックチェーンの登場によって誕生したもうひとつの大きなムーブメントが、NFTです。

参加者同士が検証し合うことによって、データのコピーや改竄、不正利用を困難にするブロックチェーンを利用して、デジタルデータの唯一性を証明する技術――これがNFT(Non-Fungible Token：非代替性トークン)と呼ばれるものです。代替性を説明するために、簡略化したたとえを用います。普段、わたしたちが使っているお金はFungible(代替性のある)ものです。500円硬貨は基本的に500円です。しかし、数量限定の記念硬貨の500円であれば希少性があるため、完全にではないですがNon-Fungible(非代替性)が増しているといえるでしょう。500円の価値があるものの、オークションサイトなどではそれよりも高い値段で取引していることがあります。

あるデジタルデータが、替えが利かないものであることをブロックチェーンで証明できるようになる。するとそれによって何が起きるのでしょうか。

デジタルデータが他と区別がつくことによって希少性が生まれ、資産価値が生まれることがあります。

NFTが世間の注目を浴びたのは2021年でした。老舗(しにせ)オークションハウスの「クリスティーズ」で、デジタルアートの権利をオークションにかける初の試みをしたところ、約75億円という破格値でデジタルアート作品が落札されました。デジタルのオークション額としては史上最高額です。伝統と格式を誇るオークションハウスが、NFTという最新のテクノロジーを活用したと注目されたことによって、NFTの認知が一気に拡大しました。

同じく2021年には音楽家の坂本龍一（さかもとりゅういち）氏が、自身の代表作「Merry Christmas Mr. Lawrence」のメロディー595音を1音ずつデジタル上で分割し、NFT化して1音1万円で販売したところ、瞬（またた）く間に完売。美術、音楽というアートの世界とNFTの相性のよさが証明され、自作のNFT販売を試みるアーティストがあとに続きました。

◆マニアに刺さるNFTデジタルトレカ

高尚で敷居が高いと思われがちなアートの世界よりも一足先に、NFTの価値に気づいたのが、アメリカのスポーツ業界でした。

2020年、米プロバスケットボールリーグNBAから、デジタルトレーディングカードともいうべき「NBAトップショット」が販売されました。これは、NBAのトッププレイヤーたちによる名場面をパック購入し、収集・売買できるという新たな形態のファン向けグッズです。

わかりやすく伝えるために「トレーディングカード」と表現しましたが、実際は静止画ではなく、名シーンのモーメント（ハイライト動画）になります。ブロックチェーンの活用によって動画に唯一の所有証明書を発行したことがファン心理に火を付け、選手の背番号とシリアルナンバーが一致するなどのレアなものは、一時は数千万円もの高値で取引されました。

新型コロナウイルスの影響で観客数を制限しなければならなかったスポーツ業界にとって、「ＮＢＡトップショット」は新たな収入源のモデルを見せてくれました。

◆日本のプロスポーツ界もＮＦＴに続々と参入

日本のスポーツ界でも、ＮＦＴ事業に参入する動きが出ています。

メルカリとパ・リーグ6球団、パシフィックリーグマーケティング（ＰＬＭ）は、パ・リーグ6球団の名場面やメモリアルシーンをコレクションできる「パ・リーグ Exciting Moments β」を２０２１年末に販売しました。ＮＦＴを活用することを視野に入れています。通常、試合の公式映像をダウンロードすることは禁止されていますが、購入したコレクションであればサービス内の機能を利用してＳＮＳでシェアすることも可能です。ちなみに、ＰＬＭのテクノロジーアドバイザーを務めている私も、日本スポーツリーグで初の試みとなるこの連携にはローンチ前から関わっていました。

「NBAトップショット」と「パ・リーグ Exciting Moments β」の共通点は、熱烈なファンが付いていることです。伝説的プレイヤーの名場面動画は、ほとんどの人にとってはお金を払ってまで得るものではありません。

それでもトレーディングカードの世界で100万円以上も出しても熱烈にレアカードを欲しがるマニアがいるように、「あの選手のあのシーンが見たい！」「その動画のオーナーになりたい」とコレクション欲を掻き立てられるファンが少なからずいるからこそ、新たなマーケットがそこに生まれているのでしょう。新しい市場には、単に自分より高く買う人（自分より遅く情報をキャッチする人）がまだいそうだ、という転売目的の人が溢れることが多いです。一時期は高騰しますが、新鮮味がなくなると行き詰まってしまいます。そのような投機的な目的ではなく、熱狂的なファンが価値を認め続けるコンテンツである必要があります。

NFTの登場は、コピー&ペーストが氾濫しているインターネットの世界に、「オリジナルの価値」と「所有欲」の概念を取り戻したと見ることもできます。

また、2022年からはスポーツ動画のストリーミングサービスを手掛ける「DAZN

（ダゾーン）」が、ミクシィとタッグを組んでスポーツに特化したＮＦＴマーケットプレイスを開設しました。

ダゾーンは好きなスポーツをいつでもライブ中継&見逃し配信できる動画配信アプリですが、ただ視聴するだけではなく、スーパープレイやメモリアルシーンなどの動画をシリアルナンバー付きのＮＦＴコンテンツとして提供する機能も持っています。

ユーザーが増加していけば、ファンコミュニティやユーザー同士のコンテンツの売買が促進されていくでしょう。

◆アディダス、ナイキもNFTコレクションをリリース

スポーツブランドも、この潮流をみすみす見逃しているわけではありません。

大手スポーツブランドのアディダスは、２０２１年末にブランド初となるＮＦＴコレクションをリリースしたところ、わずか1日で約26億円もの売上を達成しました。

同じくナイキも、ＮＦＴにひも付けたコンピュータグラフィックス（ＣＧ）のスニーカーなどバーチャルアパレルを手掛けるスタートアップ企業「ＲＴＦＫＴ（アーティファクト）スタジオ」を買収しました。２０２２年にはＮＦＴスニーカーコレクション

「RTFKT x Nike Dunk Genesis Cryptokicks」の販売を開始しています。

これは簡単にいうとオンラインゲームなどの仮想空間でアバターに着せられる服や靴などのデジタルファッションの一種で、「スキン」と呼ばれているものです。いわゆるゲーム内の着せ替えアイテムとして使われるものですが、ナイキが発表したNFTコレクションの中には1700万円で取引されたスニーカーもありました。

こうした事例からも、NFT事業が着実に企業に利益を生み出しつつあることが見て取れます。

ルイ・ヴィトンやグッチのように一見デジタルに無縁と思える高級ブランドも、すでにNFT事業に乗り出しています。服や靴という実体を持つファッションアイテムを扱うアパレルブランドが、デジタルの世界でも希少性に気をつけなければならない時代になっているのです。リアルの世界、デジタルの世界、どちらかを一人ひとりが見ておけばいいのではなく、ひとりが両方を見なければならないのです。

そもそも、「なぜ実体のないアイテムにそこまで大金を払う気になれるんだ?」と疑問に思われる人も多いでしょう。けれども若い世代やデジタルに親和性が高い人々にとって、デジタルとリアルの境界線はもはやないに等しく、リアルで着飾るのと同じように、オンラインの世界でクールなアイテムを身につけたいと思うのは自然な心理でしょう。

◆『進撃の巨人』NFTシリーズが米国で発売

マンガの世界でもNFTによって新たな価値が掘り起こされています。

講談社が青年マンガ誌の新連載作をページごとに分割、NFT化して「購入者はそのページのオーナーになれる」と販売したところ、日本、アメリカ、スペイン、カナダなどの15ヵ国から購入され、業界の注目を集めました。講談社は、アニメ版『進撃の巨人』の見どころを集めた未公開シーンのNFTのアメリカでの販売も開始しています。

同じく出版大手の集英社もまた、人気作『ONE PIECE』の活版印刷作品をNFT化して販売しています。

他にも小説をNFTとして販売する試みもいくつか見られます。イラスト、写真、アニメ、ゲーム、動画などのコンテンツのNFT利用は世界的に拡大しています。人気タレントのファンブックに「通常版」と「NFTデジタル特典付き特装版」の2種類が発売され、後者には本の内容を本人が朗読した音声や掲載写真がデジタルデータで持てるような試みも見かけます。

いずれの場合も売上の一部はクリエイターに還元されますので、コンテンツ創作に関わる人にとっては、新たな収入源としても期待できるでしょう。

ファンの側もただ楽しむ・享受するだけだったコンテンツに対して、「所有した感覚を持てる」という、これまでにはなかったコミットメントの形が生まれています。

◆ＤｅＦｉの市場規模も急速に拡大

ＮＦＴと同じように、２０２０年頃から耳にする機会が急速に増えたのが、「ＤｅＦｉ（Decentralized Finance：ディーファイ）」でしょう。

ＤｅＦｉとはネット上に誕生した新しい金融システムの形で、日本語では「分散型金融」と訳されます。ブロックチェーン、スマートコントラクトという仕組みを使い、さまざまな取引を自動的に行なうサービスです。銀行など既存のサービスと異なり、特定の管理者が存在しないこともポイントです。インターネット上でデータを分散して管理し、ユーザー同士が相互に取引を監視し合うことによって成り立っています。

暗号資産を使ってデジタルコンテンツを売買しやすくするＮＦＴに対して、貸し借りや投資などの金融サービスをより効率よくするためのシステムがＤｅＦｉです。

先述したお金の存在意義のひとつに、「いかに価値交換がスムーズにできるか」がありました。その原点に立ち返った上で、ではどのような仕組みを用いれば価値交換がスムーズになるのかを具現化しようとするシステムがＤｅＦｉであるともいえるでしょう。

◆ＤｅＦｉ、ＤＡＯはマンションの管理組合のようなもの

ＤｅＦｉには銀行や証券会社と異なり、サービスの中央管理者がいません。どこかの国の管理下に置かれているわけでもありません。その代わりに、参加者たちが相互に取引を監視し合うことによって信用を担保することでシステムの価値を守り、秩序が保たれる仕組みになっています。

つまり、中央管理者は不在ですが、参加者全員が管理者なのです。

マンションの管理組合のように、住民たちが互いに話し合い、分散管理を行なうことで、ガバナンス機能が保持されコミュニティの平和が守られている、とイメージするとわかりやすいかもしれません。そしてＤｅＦｉの場合はサービス管理者がいないぶん、浮いたコストが利回りに加算されるため金利が高利率になります。

経済学的にもＤｅＦｉの仕組みはさまざまな工夫をしています。流動性の供給などを行

なってシステムを支えるメンバーには、その報酬として特有の暗号資産などが支払われる仕組みなどがあります。多く貢献した人ほど多く持てるようになるため、その価値をわざわざゼロにしようと考える人はほぼいません。

これは株式会社と株主の関係性に近いでしょう。30パーセントの株式を所有しておきながら、その価値をゼロにしようとする株主はほぼいません。

2021年にはDeFiでの取引量が急増し、金融庁や日本銀行も調査リポートを積極的に発行しています。円やドルのような法定通貨よりも、DeFiのシステムのほうが民主的だと考えている人々も現れています。

法整備は常に新技術の後追いにならざるを得ませんが、現時点ではまだ各国ともに法整備が追いついていなかったり、ガバナンスが整っていないという危うさがあります。しかし、そういった問題を乗り越えた場合には参加者が増え、一般への普及が進んでいく可能性があります。また、株式会社などの統治の仕組みをブロックチェーン技術で効率的に実現しようとしているDAO（Decentralized Autonomous Organization：分散型自立組織）という仕組みがあります。これは、社会的意義を感じたり、好奇心を掻き立てられるプロジェクトでうまくいくケースが出てきています。

◆中央銀行もデジタル通貨を持つ時代へ

ここから大きな波になると思われるのが、中央銀行が発行・管理する「法定デジタル通貨」です。ヨーロッパ各国や日本の中央銀行も、中央銀行デジタル通貨「CBDC(Central Bank Digital Currency)」の導入検討を始めています。

先陣を切っているのは中国です。人民元をデジタル化する「デジタル人民元」の大規模実験を繰り返してきた中国は、2022年の北京(ペキン)冬季オリンピック直前にデジタル人民元の電子ウォレットアプリ「数字人民幣」をリリース。利用者はアプリをダウンロードすることで、ウォレットにチャージしてデジタル人民元を使えるようになっています。

こうした中国の動きに最も危機感を覚えているのがアメリカです。

バイデン大統領は2022年春に暗号資産に関する大統領令に署名、中央銀行が発行するデジタル通貨の検証を重点課題とする姿勢を明らかにしました。世界の基軸通貨であるドルの強い力を保持したまま、デジタル領域でも覇権を握るべくアメリカ政府が本格的に動き始めたと見ていいでしょう。これまでは民間企業に任せていたデジタル通貨の領域に、いよいよ政府が本腰を入れてきたのです。

◆CBDC導入でデジタル通貨決済も活況

デジタルドルの本格化とともに、デジタル通貨決済の業界でも一気に動きが活発になっています。大手オンライン決済サービスのStripe（ストライプ）は、暗号資産取引所やNFTマーケットプレイスなどの暗号資産ビジネスのサポートに対応したことを発表しています。

ツイッター創業者のジャック・ドーシー氏が率いるモバイル決済大手ブロックも、日本の同業スタートアップ企業Kyash（キャッシュ）の資金調達ラウンドに参画、10億円超ともいわれる出資を行なっています。

CBDCが本格的に運用されるようになれば、決済の実務面を担うことになるであろう黒子（くろこ）企業の役割も必然的に高まります。各社ともに新たなプラットフォームを獲得すべく、今が正念場と心得ているのでしょう。

当然、他の国もCBDC導入への意欲を高めています。

ニュージーランドの中央銀行は、2022年2月にCBDCをめぐる設計面の作業に着手することを表明しました。現金決済の割合がわずか4パーセントと「世界で最もキャッシュレスな国」として知られるノルウェーの中央銀行も、ＣＢＤＣの社会実装に向けて数年規模の実証実験を行なっています。

また、アジアではインドの中央銀行がＣＢＤＣである「デジタルルピー」を２０２３年度中に導入する計画であることを政府が発表しました。

人口の多いインドで欧州よりも一足先にＣＢＤＣが本格的に発行され経済が急速に活性化されれば、ユーロを凌いで中国に次ぐ影響力を持てる可能性もあるかもしれません。

日本銀行も２０２１年４月にＣＢＤＣの実証実験をスタートさせ、翌年４月にはその成果をまとめたフェーズ１の報告書を公表しました。しかし、技術的な検証を進めているものの、ＣＢＤＣ発行の決定については引き続き慎重な姿勢を見せています。

いずれにせよ、アメリカと中国の動きに引っ張られるように、各国のＣＢＤＣ導入が相次げば、国際関係のパワーバランスと、産業構造の転換が迫られることにもなるでしょう。

◆デジタル化によって経済の回転率は上がる

ここまで紹介してきたように、金融サービスはデジタル技術と非常に相性がよい領域です。金融（Finance）と技術（Technology）を組み合わせた「フィンテック」という造語がありますが、フィンテックのここ数年の世界的な盛り上がりは金融業界の外にまでも大きな影響を与えています。

ここで、金融の歴史を再び振り返ってみましょう。

原初は物々交換から始まり、もっと便利な方法を探す中で貨幣が生まれ、為替（かわせ）や銀行、保険、ローンのような取引も付随して生まれていきました。

さらに、デジタル技術の進歩によって、クレジットカード裏面にある黒い磁気テープやICチップ、QRコード、バーコードなどのデータを読み取ることで、瞬時に決済ができるようになりました。

やがて既存の金融システムの不安定さに対するアンチテーゼとしてビットコインが開発され、銀行や証券会社が不在でも暗号資産では金融サービスが成り立ちつつあるのが現状です。

金融とデジタルの相性がよく、社会にとって重要な理由のひとつに、経済の回転数があります。

誰とも交換されない1兆円は、それ以上の価値を生み出しません。しかし、1兆円で何か購入すれば、そのお金はぐるぐると社会を回っていきます。経済の循環は価値を生み出し、循環は早ければ早いほど経済は活発になります。つまり、お金の回転率は経済に影響するのです。

そう考えたときに、実体を持つ紙幣とデジタルマネー、どちらのほうがより回転率が高くなるかは明らかでしょう。

◆アナログをはるかに凌ぐデジタルマネーの合理性

クレジットカードもスマホ決済であっても、カード会社が代金を立て替えて、時間差でその金額が銀行口座から引き落とされる仕組みになっています。

しかし、ＤｅＦｉのように仲介者が不在でダイレクトにやり取りができるシステムであれば、製品やサービスの購入から入金までの時間を大幅に短縮できます。実体を持たないデジタルマネーですから、貨幣のような製造・輸送・警備などの余分なコストもかかりません。価値交換のときに発生するタイムラグを最大限に短くできるようになれば、経済の活性化にもつながっていきます。

「紙幣や硬貨がなくなるなんてありえない」と反射的に考えてしまうのは、現状維持バイアスにとらわれている証拠です。貝や塩が硬貨に代わったように、通貨の形が時代とともに変わるのは十分にありえます。

もちろん、そのシステムを支えるブロックチェーンはある方式だと消費電力の多さが脱炭素的な視点から議論の的（まと）ではありますが、認証方式を改善することによって解決する糸口もすでに見え始めています。

この先、デジタルマネーがアナログの現金へ完全に逆戻りするような可能性はもはやほぼないでしょう。進化するフィンテックが22世紀の金融イノベーションを支え続けることは目に見えています。

◆「現金」は共同幻想、だからこそ信用から始まる

今、目の前にある1万円札にはなぜ1万円の価値があるのか。

これは社会がそう決め、皆が信用することによって成り立っているルールだからです。お金は幻想であるという前提、それを理解した上で信じて運用する。金融の本質はこの「信用」にこそあります。

初めて株式会社が生まれた大航海時代、株主になった人々は船乗りと探検家が帰還する

という前提で信用したから出資したのです。

銀行のローンもすべて同じです。住宅ローンも、相手がどれほど信用できるかを年収や勤務先でジャッジし、その程度に応じて損をしないように金利を課し、それによって利益を得ています。結局のところ、肝となるのはこの人はどれくらい信用できるかの一点です。

その判断材料としてこれまでは年収や勤務先、クレジットカードの利用履歴などが見られてきましたが、今後はもっと精緻なデータ、たとえばネット上での消費者の購買行動そのものがスコアとなり、そこに銀行が関与しなくても成り立つような、新たな評価軸ができていくのではないかと予想しています。

現在の社会における金融の領域は、銀行ではない分野がどんどん金融の世界に入ってきて、より効率的な金融システムをつくっている状態です。金融機関よりも小売業界のほうが個人のデータを大量に持てる可能性があることはごく普通な見立てでしょう。

たとえば、第一生命保険が住信SBIネット銀行や楽天銀行と提携し、2022年から「銀行サービス」を始めることを発表しました。金融以外の事業会社が銀行代理業に参入するケースは、日本航空やヤマダホールディングスなどで過去にもありましたが、大手生保では初の取り組みとなります。

金融以外の企業が、ＢａａＳ（Banking as a Service：サービスとしての銀行）を活用していく動きは今後も加速していくでしょう。テクノロジーの進化が、業態の壁を溶かし始めているのです。

◆新・金融サービスはアンバンクト層にもリーチできる

世界には銀行の口座を持てなかったり、既存の金融サービスを享受できなかったりする「アンバンクト（unbanked）」と呼ばれる層の人々が20億人以上もいるといわれています。

しかし、デジタルテクノロジーを活用してアンバンクト層を対象とした金融サービスが提供されるようになれば、これまで金融機関にアクセスできなかった人々の可能性が一気に広がり、ＧＤＰ上昇などの経済効果も期待できるはずです。

ビットコインを法定通貨に採用したエルサルバドルと中央アフリカは、多くの先進国と異なり、銀行口座自体の普及率が低い、すなわちアンバンクト層が多いという事情があります。アンバンクト層が銀行口座を開設できるように整備するよりも、ビットコインを法定通貨にしてスマホのアプリで送金できる仕組みをつくるほうがコストはかかりません。

途上国や新興国と呼ばれる国々で特定の技術が先進国よりも速いスピードで一気に浸透することを「リープフロッグ現象」といいます。新興国でフィンテックが普及すれば、先進国が数十年かけて整備・実現してきた銀行サービスを、わずか数年で追い抜くようなサービスが生まれるかもしれません。

◆未来のお金は空気のような存在になる

現代の金融システムは完璧とはほど遠い形態です。一見すると堅牢(けんろう)なようでいて、じつは脆く、危うい。それはリーマン・ショックをはじめ、過去100年に起きた数々の大恐慌や金融危機を振り返れば明らかです。

だからこそ、進化の余地はまだまだ残されています。

今、フィンテック業界ではスマートで新しい決済方法を構築しようという勢いに乗っており、その空気感はインターネット創成期にも近い熱狂が感じられます。

近い将来、お金はデータ上でやり取りされるデジタルマネーが主流となり、最終的には決済という行為すらもほぼ意識されなくなる時代がやってくるでしょう。私たちの身のまわりの行動で考えてみると、今のようにスマートフォンやクレジットカードを支払いのために持ち歩いたり、電子マネーの残高を確認していちいちチャージしたりする必要はなくなるはずです。機械の前に自分の顔を映したり、アマゾンの無人店舗で使われている手のひらをかざす認証のAmazon Oneのような生体認証システムによって、自動的に支払いが完了するようになるからです。

電車の改札もICカードを出すことなく、顔認証だけで顔パス改札などができるようになるでしょう。多くの実店舗では、入口で生体認証をすれば決済の確認もほとんどしなくてよいシステムが増えていく可能性があります。

物の売り方やサービスの展開も、デジタル化に伴い購買者の属性やデータ分析ができるようになれば、小売業のビジネスも変わっていくでしょう。決済という行為が今よりもっとスムーズでシームレスな、空気のようなものに変わっていきます。

お金の形が変わると、社会や国家の構造も変わっていきます。

その未来の姿を山頂とするならば、登り方はさまざまなテクノロジーが切磋琢磨するように存在して、金融テクノロジーは今後もさらなる進化を遂げていくでしょう。

第2章
未来の食

◆原初の革命としての農業

狩猟採集社会から農耕社会へシフトしたことは、人間社会の構造に大きな変革をもたらしました。土地を耕し、食料を生産し、貯蔵する。そのサイクルができあがると定住生活が始まり、人が集まり、原初のコミュニティが形成されます。より多く収穫できた者が食料という富を蓄えられるようになり、貧富の差が生まれました。農耕社会の始まりは格差社会の始まりでもあったのです。

農業の本質は、いかに効率よく食料を生産するかです。そのためにそれぞれの土地の気象条件や風土に応じて、人類はさまざまな知恵を振り絞ってきました。

棒で地面を掘り起こす際には、棒の側面に刃をつけると効率が上がることに誰かが気づき、鍬をはじめとした農耕具が発明されました。牛や馬に農耕具を引かせるとより楽に土地を耕せること、糞尿が肥料になること、季節に応じて同じ土地に年に2回作物をつくれること、土地は一定期間休ませると活力を取り戻すこと、異なる品種同士を掛け合わせてよりよいものをつくること……。あらゆる創意工夫によって人類は生産効率を上げ、安定的に食料を供給することを至上命題としてきました。これらは経験によって暗黙知として積み上げられ、現在ではデータも活用することでより効率化できるようになっています。
凶作は飢えに直結しました。田や畑を工夫して耕すことは、生きるための手段だったのです。

◆ランダムな品種改良から遺伝子組換えへ

現在、私たちがスーパーマーケットの店頭で見かける食物のほとんどは、自然界にもとからあった野生種ではなく、長い年月をかけて改良されてきた品種です。穀物、野菜、果物のいずれも、より栽培しやすいもの、より凶作に強いもの、より収量が増えるもの、より味が良く大きく形がよいものを、という目的を叶えるために、性質の異なる品種を掛け合わせて改変してきた「交配育種」の結果なのです。

1980年代に入ると、品種改良よりもさらに正確な手段として生み出されたのが「遺伝子組換え」技術でした。それまでの品種改良では放射線や薬剤などを用いて突然変異が起き、形質が変化することに賭ける方法が一般的でした。しかし、数億あるといわれる遺伝子の組み合わせは偶然に任せられるため、望んだ形の新品種をつくり出すには数年〜数十年単位の時間がかかることも珍しくありませんでした。

しかし、１９５３年にＤＮＡの構造が解明されたことを起点に、ＤＮＡが遺伝情報を担っていることが明らかになります。

遺伝子組換えとは、ある生物から目的とする遺伝子を取り出し、別のターゲット生物に組み込む技術です。遺伝子の組み込みは同じ種類の作物同士だけではなく、交配不能な植物や微生物、動物の遺伝子を使うこともできます。

これによって農作物の品種改良の可能性は大きく広がりました。遺伝子組換えこそが近代農業における最大のイノベーションであり、ここからバイオテクノロジーの歴史が本格的に始まったのです。

日本では１９９６年から遺伝子組換え植物の流通が始まり、現在は大豆、トウモロコシ、馬鈴薯（ばれいしょ）、菜種、綿、アルファルファ、テンサイ、パパイヤの８作物が遺伝子組換え農作物として販売が認められています。

◆ゲノム編集がさらに農業を進化させる

さらに近年ではゲノム編集技術の応用によって、品種改良がよりスピードアップしています。ゲノムとは生物を構成している細胞のＤＮＡと、それに書き込まれた遺伝情報のことです。ゲノム編集とはその名の通り、酵素を用いてゲノム上の特定の箇所を切断することで、ＤＮＡを改変する編集技術です。

遺伝子を改変するという意味では遺伝子組換え技術と一見同じですが、遺伝子組換えが特定の遺伝子を「組み込む」技術であるのに対して、ゲノム編集はハサミのような役割をする酵素が、ＤＮＡの特定の場所をピンポイントで狙って切断する技術です。切られた場所は自然に修復されますが、その過程で塩基配列に変化が起きます。ゲノム編集はまったく新しい品種をつくり出すわけではなく、自然界でも起こりうる変異を再現する手法ともいえるでしょう。

ゲノム編集技術の一種であるCRISPR-Cas9（クリスパー・キャスナイン）を開発・研究したエマニュエル・シャルパンティエ氏とジェニファー・ダウドナ氏の２人は、その功績によって２０２０年にノーベル化学賞を受賞しています。

今後はゲノム編集によって高精度にターゲットを絞った品種改良が可能になっていくでしょう。遺伝子を編集することで野菜や果物を新たにデザインできる時代がやってくるかもしれません。

◆熟練職人の勘よりもデータ分析を重視

農業におけるイノベーションという意味では、生産のプロセスにおいても大きな変化が起きています。

かつて、農作業は多くの人手と手間を要するものでした。稲作であれば田に水を引き、苗を植え、稲刈りをして脱穀する。それらの年間作業をそのときどきの自然条件と相談しながら行なうことが農業のあり方でした。長く栽培されてきた穀物や食物ほど、経験豊富なベテランの知恵と勘が何よりも重要だったのです。

しかしＡＩやテクノロジー、そしてデータ分析の進化によって、これまでの伝統的なスタイルにも変化の波が訪れています。

ワイン用のブドウ栽培を例に取ってみてみましょう。

いつブドウを収穫するかはその年の天候に左右されるのが普通であり、それを確かめるのは人間の役割でした。しかしカメラセンサーを搭載したロボットを使えば、離れた場所からでも画像からブドウの葉の色や花の開花、果実の状態確認できます。広大な農地であればカメラやセンサーを付けたドローンを飛ばして空撮・データ収集をすることもできるでしょう。

また、育成の過程や作業記録を記録した画像データをクラウドに蓄積・活用することで、適した収穫時期を予測できるようにもなるはずです。さらに収集したデータをAIと実際のブドウの糖分などの成分を組み合わせて分析すれば、翌年以降のノウハウに変えることもできます。

また、ワインであればタンクに入れて醸造している間も温度やアルコール濃度を測るセンサーを取り付けることで、モニタリング管理と制御がより効率的になるはずです。ワインの味や香り、テクスチャーなどをすべて数値で把握できるようになれば、安定した品質で市場に供給できます。

こうした実証で得られた知見は、他の果物の栽培にも応用させることができるでしょう。これまで何十年という時間を要していた農業技術の習得を、テクノロジーの進化によってショートカットできるようになったのです。

◆AIで予測し、ロボットが手を動かす

農業の現場では、すでにロボットが大活躍しています。

上空から除草剤を散布するドローン、搭載されたカメラセンサーによる画像解析に基づいてアームで不要な葉を切り落としたり、ベストタイミングで摘み取ったりする収穫用ロボットなどを導入していく農場が、今後はますます増えていくでしょう。

また、第4章で詳しく解説する自動運転技術も、クルマの専売特許ではありません。トラクターや田植機、コンバインなどの農業機械の分野でも自動・無人化実現に向けた研究開発が急ピッチで進行中です。2030年頃にはリモートでコントロールできる無人運転トラクターが畑を自動で耕す風景が見られるようになるかもしれません。

他にも、温室ハウス内の日照量や気温、湿度、CO_2濃度、土壌水分まで確認できるモニタリングシステムや、作物が病害にかかるリスクをセンサーで予測するAIシステムなどもすでに商用化されています。こうしたテクノロジーの発展によって、農薬散布率が大幅に減少している点も評価されるべきでしょう。

数十年後には栽培・収穫・出荷はタブレットなどを使ってワンストップでコントロールできるようになり、畑に行かずとも完全リモート作業で農業ができる「スマート農業」の形が定着しているかもしれません。

◆植物工場は究極のサステナブル農業

また、広大な土地がなくとも、植物工場という「箱」の中ですべてを完結している農業の形態も2010年以降に急増しています。

育成から収穫までを露地ではなく、施設内ですべて作業する植物工場は、都市型農業のひとつのスタイルとして1980年代から始まりました。その後、何度かのブームを経て、再び新世代の植物工場が注目されています。

日本人CEOがニューヨークで経営する植物工場スタートアップ企業「Oishii Farm（オイシイファーム）」のように、自社開発した自動気象管理システムによって安定量産化に成功しているケースも有名です。

このような新世代の植物工場が注目されている理由はいくつかあります。

まず、LEDをはじめとする光源技術の革新が太陽光よりも安定した日射量をもたらしたことです。次にデジタルテクノロジーが進化したことによって光・気温・湿度などを人工的にAIで制御しやすくなったこと。また、屋内で完結するため昨今の異常気象や害虫や災害などのリスクに収穫量を左右されないことも強みです。

鮮度が重視される野菜類であれば、レストランの隣のビルに植物工場を設置して栽培できれば輸送時間も少なく、鮮度をより保つことができます。

そして見逃せないのがサステナブルの観点です。植物工場は施設内ですべての農作業が完結するため、河川や大地、大気に余計な負担を与える心配がありません。害虫も発生しないため、無農薬栽培も可能です。また、従来の農法よりも水の使用を大幅に削減できます。日本で使う年間の水使用量のうち、農業用水はじつに3分の2を占めているのです。

このように植物工場はサステナブルな条件をいくつも兼ね備えており、一大ブームとなっているSDGs（持続可能な開発目標）への取り組みという意味でも高評価を獲得できています。もちろん常時、電気を必要とするため初期投資とランニングコストが少なくありませんが、今後は再生可能エネルギー・資材の利用を促進するなどの対策を講じることも可能でしょう。

◆農業は伸びしろが大きい成長産業

農家の高齢化で離農が加速している農業分野においては、AIやロボット技術を活かした「スマート農業」を導入することによって、これまでになかったメリットが多数もたらされています。

最新テクノロジーをフル活用することで、これまで顕在化されなかったベテランの知恵を間接的に受け継ぎ、さらに生産効率を上げる方法を考えていく。それこそがこれからの時代の農業従事者に求められるものかもしれません。

逆に、データサイエンスをおろそかにする農家は農業協同組合（ＪＡ）に頼らないビジネスとして農業を存続させることが難しくなっていくでしょう。

そういう意味では、ソフトウェア開発やテクノロジーの知識を持っている人材が、農業の世界で果たしていく役割は今後ますます高まっていくと考えられます。

他の産業と比べると、農業のイノベーションはまだ遅れています。そもそも実際に起きてきたイノベーションの数自体が少ないのです。しかし、そうした状況が、ここに来てようやくサイエンスに裏付けられたものに変わってきました。

もちろん、見方を変えれば今後の伸びしろが大きい成長産業ともいえます。農業の担い手不足や世界情勢の不安定さ、経済安全保障の観点により、食料の自給率が改めて問われる中、デジタルツールとロボット技術、バイオテクノロジーを組み合わせることで、ここからさらに革新的な技術や手法が生まれていくはずです。

今後は、情報システム開発のノウハウを持つ企業が、自社のテクノロジーを活用してアグリテックに挑戦していくケースが増加していくでしょう。

シンガポールは国内の食料自給率を、現在の10パーセント未満から2030年には30パーセントにまで引き上げる国家目標「30×30」を掲げ、農業の先端技術を活用するアグリテック事業に注力することを表明しています。国土面積が狭く、食料の約9割を輸入に依存しているシンガポールが、テクノロジーという新しい武器を活用して食料自給率の上昇を目指すという姿勢は象徴的といえるでしょう。

ソウルに拠点を置く韓国のアグリテック系スタートアップ「Green Labs（グリーンラボ）」は、すでに中国、ベトナムにも進出。現地のアグリテック企業やフードテック企業との連携も進めています。

食料調達という課題は、新たなビジネスチャンスでもあるのです。

◆学生がスマート植物工場と昆虫アグリテックを研究

日本でもオープンイノベーションのお手本ともいうべきユニークなプロジェクトが進行しています。

東京農業大学・バイオロボティクス研究室と法政大学国際高校は、植物工場と昆虫食をテーマにした共同プロジェクトを２０２２年4月から始動させています。東京農大の研究室に植物工場を構築し、法政大学国際高校の学生たちがリモート管理する「スマート植物工場」という形の探究型プロジェクトとして位置づけられています。

高校生たちがカメラや各種センサーを通じて遠隔でモニタリング・ＬＥＤ制御・栽培実験が行なえるこのプロジェクトが発展していけば、アグリテックの担い手として農業に参入する若者世代も増えていくかもしれません。

また、今後は高校生たちが発案した昆虫食のアイデアを、東京農大バイオロボティクス研究室の学生たちが主体となって立ち上げたスタートアップ企業「うつせみテクノ」が企画・開発・商品化・販売していく予定とのこと。

スマート植物工場と昆虫アグリテックという最先端の農業の形を、日本の高校生・大学生が主体的に行なっているのは非常に頼もしく感じられます。

近年、コオロギなどの昆虫タンパク質の生産に対する関心は世界各国で急速に高まっており、この分野への参入企業も増加しています。畜産業は温室効果が大きいメタンの排出が多いことが脱炭素の視点から問題視されています。世界的に不足するタンパク源を、肉だけでなく昆虫も活用していくというアイデアは夢物語ではありません。

数十年後には持続可能なタンパク源として、昆虫食がスタンダードになっている未来も十分にありえるかもしれません。

◆流通プラットフォームも多様化していく

「どのように生産効率を上げるか」の次は、「どのように売っていくか」のイノベーションについても考えていきましょう。

これまで収穫された農作物は、ＪＡが農家からまとめて買い取り、国内に張り巡らせたネットワークに乗せて販売するルートが一般的でした。規格内の作物であれば基本的には買い取ってもらえることは収入の安定につながります。しかし、流通経路に競争原理が働かないため、利益率がさほど高くなく、「農業では儲けづらい」という構造の原因にもなっていました。

しかし、最近ではＩＴ技術の普及によって販売ルートが多様化し、DtoC（Direct to Consumer）の市場が広がってきました。道の駅やファーマーズマーケットのような農産物直売所も、20年前にはほとんど存在しなかったものです。

出荷する側の生産者と流通事業者の間の取引業務を、アプリやクラウドで効率化するサービスも登場しています。小規模な事業者であってもデジタル化を進めることで恩恵を受けられる仕組みが整いつつあります。

ＪＡが１粒１００万円という破格値でイチゴを買い取ってくれることはありえませんが、生産者がそれに値するイチゴだと説明し、消費者が納得できるのであれば、DtoCでは売買が成立します。

これは極端な例ですが、高級なもの、ニッチなものの売り方の間口が広がったことは市場の拡大と健全な競争につながります。

◆「漁師の勘」をAI化する

農作物以上に規格や加工が難しいのが水産業の世界です。

２０１８年、日本では約70年ぶりに漁業法が大幅に改正され、水産資源の持続可能な利用のために漁船ごとに漁獲量を割り当てる方式が採用されました。農業と同じく、水産業の世界もまたさまざまな問題に直面しています。

しかし、そんな水産業の分野でもユニークなイノベーションが起きています。

たとえば、宮崎県の浅野水産はスタートアップ企業として「漁師の勘をＡＩ化」する共創プロジェクトに現在取り組んでいます。

浅野水産は日本近海のカツオの一本釣り漁法において、宮崎県でトップの漁獲量を誇る漁船「第五清龍丸」を操業する企業です。しかし、勘と経験が磨かれたベテラン漁師の高齢化が進んでいる現状に危機感を抱き、衛星からの海洋情報収集など船舶のＩＣＴ化などを組み合わせた形で「漁師の勘をＡＩ化」する実証実験を行なっています。

ベテラン農家が長年培（つちか）ってきた経験値がテクノロジーに代替されるように、漁業の世界でも同じことが起きています。

◆未利用魚のサブスクサービスが好調

福岡市のスタートアップ企業「ベンナーズ」が始めた宅配サブスクリプションも好調です。小さすぎて規格に合わなかったり、ウロコが硬くて加工が難しかったりすることで市場に出回らない魚を「未利用魚」といいます。総水揚げ量の30～40パーセントを占める未利用魚を調理・宅配するサブスクリプション「フィシュル」は、魚のフードロス削減と漁業者の収入底上げを図り、ＳＤＧｓへの貢献にもつながっています。

流通プラットフォームに関しては、コロナ禍で自宅調理の機会が増えたことも後押しして、「食べチョク」「ポケットマルシェ」のような、生産者と消費者を直接つなぐCtoCプラットフォームが着々とユーザー数を増やしています。

また、釣った魚をその場で出品できる魚専門のオークションサイトも登場しています。近い将来には釣った魚をその場で写真に撮って3Dモデル化し、人工知能によって参考価格を自動で値づけしつつ、そのデータを購入希望者と共有して「今これが釣れましたが買いますか?」と打診し、購入に至らなければその場で海にリリースするような売買の形が実現するかもしれません。漁業の市場の最適化はまだまだ可能性を秘めています。

◆ゲノム編集を利用した高成長トラフグが食卓へ

農作物を品種改良するように、ゲノム編集技術を使って品種改良された「魚」がすでに流通していることをご存知でしょうか。

京都大学と近畿大学の研究者によるバイオテクノロジー企業「リージョナルフィッシュ」は2021年、ゲノム編集によって成長速度を1・9倍に早めた養殖トラフグを「22世紀ふぐ」と名付け、「ゲノム編集食品」として国に届け出を受理されました。

「22世紀ふぐ」は食欲を抑えるレプチン遺伝子が働かないようにゲノムを改変することで食欲を増進させ、成長速度を早めることによって、同じ環境で育てたふぐよりも可食部が増量しているのが特徴です。同じく、可食部を増量させた「22世紀鯛(たい)」もリージョナルフィッシュのECサイトで販売されています。

ゲノム編集された鯛やトラフグは、一般的な同種よりも飼育期間が短くなり、飼料も少なくなるというメリットがあります。成長速度を速めるゲノム編集による品種改良とAIやIoTを活用し、エネルギーコストやCO_2の排出を抑える「スマート養殖」の組み合わせは、次世代の水産養殖システムともいえるでしょう。

◆DX技術でスマート養殖が加速中

スマート養殖の実証実験はすでに各地で行なわれています。近海に船を出して天然魚を捕らえるスタイルよりも、養殖漁業のほうがDX技術でサポートできる領域が圧倒的に大きいことが大きな理由です。

自動給餌のリモート操作、水温のデータ管理、水中カメラや水中ドローンを設置しての画像解析処理システムの導入、蓄積されたデータを用いての適切な給餌やコスト削減などが可能になったスマート養殖が広がれば、世界の食糧危機解決への貢献にもなります。ウニやナマコのスマート養殖もすでに始まっています。

鶏・豚・牛などの畜産動物が管理下で飼育・出荷されているように、漁業も「海で獲る」から、ＤＸによって効率化が図りやすい「管理して育てる」養殖漁業へと徐々に移り変わっていく可能性もあります。

◆フードテックの課題は技術の理解浸透

「遺伝子組換え食品や、ゲノム編集された魚を食べることに抵抗感がある」人もいるかもしれません。未来を切り開くのは常に新しい技術ですが、未知なるものへの抵抗やおそれはいつの時代にも存在します。口や体内に入れるものであればなおさらでしょう。新型コロナウイルスの感染拡大を抑えるために開発されたｍＲＮＡワクチンの優位性は科学的にも証明されていますが、それでも理屈ではなく拒否反応を示す人々がどこの国にも一定数います。

しかし、遺伝子組換えもゲノム編集も、いってしまえば私たちがこれまで口にしていた品種改良された野菜などの発展形に過ぎません。重要なのはその技術をいったんロジカルに理解した上で、自分たちの需要に合わせてどう使いこなしていくかを考えることではないでしょうか。

そもそも、自然のものであれば無条件にいいというわけではありません。農業も漁業も、自然を自分たちの都合がいい資源として活用することで発展してきたものです。私たちは生きている限り何かを食べ続けますが、時代が変われば当然食べるものも変わっていきます。現代人にとって身近な冷凍食品もカップ麺も、100年前の人々が日常的に食べていたものではありません。これらもイノベーションによって誕生したフードテックといっていいでしょう。

アメリカでは2022年中に植物性の細胞を培養することによって開発する「培養マグロ」が販売される予定です。いずれはマグロの消費量が多いアジアにも展開してくるでしょう。日本でも北里大学が培養ウナギの開発に取り組んでいます。

オランダのモサミートは世界で初めて培養肉ハンバーガーを発売しました。代替肉商品はすでにアメリカのレストランやスーパーマーケットでは、選択肢のひとつとしていたる所で見かけます。

技術の理解が世間に浸透していけば、未知のフードに対する抵抗感はいずれ「慣れ」が解消してくれるでしょう。

◆日米を行き来して感じる食への意識と温度差

私は日米を行き来する遍歴をたどってきましたが、一般の人々の食とそれを取り巻く産業への意識が両国間でかなり違ってきているように感じています。

かつてはファストフードに依存しているアメリカの食文化に警鐘（けいしょう）を鳴らすドキュメンタリー映画『スーパーサイズ・ミー』（2004年公開）がヒットしたこともありましたが、最近のアメリカ人の食意識はウェルネス志向が顕著に現れています。味はもちろん、健康によいものか、社会的にも地球環境とも調和してつくられたサステナブルなものか……、そういった点を総合的に判断した上で食品を選ぶ人の数が増えてきたように感じています。

対して日本では、まだ「おいしさ」のベクトルだけで食が語られ、背景にある事情や脱炭素への寄与といった視点には目を向けない人が多い印象を受けます。「昆虫食？　気持ち悪い！」と表層的な情報だけで切り捨てるのではなく、なぜ昆虫食のニーズが高まっているのか、その背景にも思考をめぐらせれば、見えてくる風景があるはずです。

これはどちらが正しいかという話ではありませんが、少なくとも欧米諸国ではこうしたウェルネス志向が日本よりも高まっている現実があることを頭の隅に留めておいてください。

◆飢餓と飽食が共存する世界で「食」を再考する

ＳＤＧｓの17項目の中には、食に関して矛盾する２つの目標があります。２番目の「飢餓をゼロに」と12番目の「つくる責任 つかう責任（フードロス）」です。

世界では今なお極度の貧困にあり、食料の確保が困難な人々が大勢います。他方で、多くの先進国では生産された食料の３分の１もが廃棄されています。不足と余剰が共存する世界を私たちは生きているのです。

世界が第一に目指すべきは、まず貧困地域への十分な食の供給です。

国連食糧農業機関（ＦＡＯ）が公表した２０２２年３月における食料価格指数が、過去最高値を更新したことで、世界の危機感は高まっています。

ロシアによるウクライナ侵攻も大きく関係しています。小麦やとうもろこしの輸出大国であるウクライナが受けた痛手は、回り回って日本の私たちの生活にも影響を与えているのです。

ロシアの侵攻が長引いていること、そしてロシア軍が撤退してもウクライナの正常化までには長い時間がかかるであろうことを考えれば、日本が食の供給について考えるには重要なタイミングです。同時に、食事という行為が何をもたらしてくれるのかについても、私たちはあらためて考え直すべきではないでしょうか。

食事は栄養補給であると同時に、リラクゼーションの時間でもあり、他者とのコミュニケーションの場にもなります。生産者の顔が見える野菜が選ばれること、何かしらのストーリーがある料理や食材が好ましく思えること、栄養価の低い嗜好品をつい手に取ってしまうこと、食とエンタメを融合させた体験型レストランに人が集まること……すべてそうした理由からです。

時代が変われば食べるものも、食事の形態も変化していきます。それでも食することは別な形の栄養摂取に代替されない限り続く営みです。

そして増え続ける世界人口に食料を供給することの必要性を考えると、今後も食の重要性と、その上流にある農業や漁業へのイノベーションの期待は決して小さくはないはずです。

第3章

ヘルスケアの進化

◆免疫と予防の概念が生まれるまで

新型コロナウイルスによるパンデミックは世界に大きな不安を引き起こしました。しかし、ワクチン接種を通じて技術の力を再認識させられた人も決して少なくはないでしょう。新型コロナウイルスの感染拡大と重症化を防ぐために開発されたｍＲＮＡワクチンは、医療の世界における近年最大のイノベーションといっても過言ではありません。

その複雑な開発プロセスにもかかわらず、スタートから約10ヵ月という異例の短期間で実用化に至った事実は世界を驚愕させ、パンデミックの収束に向けて各国で大きな役割を果たしました。

医療の歴史もまた、イノベーションの宝庫です。

新型コロナウイルス以前にも、人類はペスト、天然痘（てんねんとう）、コレラなどのさまざまな感染症と闘ってきました。世界には多種多様な細菌やウイルスが存在しており、その中にはヒトの体内に入ると病気を引き起こす原因になるものも多数あります。しかし、ヒトの身体には、一度入ってきた細菌やウイルスを覚え、再び体内に入ってきても病気にならないようにする仕組みがあります。この仕組みが「免疫」であり、免疫をつけることによって病気にかからなくなる、もしくはかかっても重症化しなくて済むようになるのです。

おおよそ中世までの医療は「病気になったらどう治療するか」に主軸が置かれていました。しかし、外部から侵入した細菌やウイルスが病気を引き起こす仕組みが徐々に明らかになると、「病気にならない予防法の確立」へと発想の転換が起きます。

細菌やウイルスといった病原体と感染経路の発見、そして免疫の仕組みを利用して予防するという新しい医学モデルの誕生は、医療の発展に大きく貢献しました。

◆ワクチン接種の光と影

人類史上初めて免疫とワクチンが広く知られるようになったのは18世紀です。イギリスの開業医であったエドワード・ジェンナーが、牛がかかる天然痘（牛痘）を健康な人間に移すことで、天然痘を予防、もしくは症状を軽くすることに成功しました。

この天然痘ワクチンこそが、人類が初めて手にしたワクチンです。ワクチンという言葉が「雌牛（めうし）」を意味するラテン語に由来するのも、ジェンナーの治療法がもとになっているからです。当時は牛の天然痘を人間に接種するなんて、という否定的な意見がありましたが、予防効果が知れ渡るにつれて受け入れられるようになっていきます。

その後、ワクチン接種の普及によって天然痘の発症数は激減し、1980年にはWHO（世界保健機関）が「天然痘の根絶」を宣言しました。紀元前から何千万人もの命を奪ってきた恐るべき感染症に、ワクチンという武器を得た人類が打ち勝ったのです。結核（けっかく）、コレラ、ペストなどの感染症も、それぞれの病原体の発見と感染経路の理解によって予防法が確立され、死者数は激減しました。

このように長期スパンで見ると目覚ましい成果を収めてきたワクチンと予防接種ですが、副反応というリスクを切り離すことは不可能です。

日本では1970年代に入ると、種痘（しゅとう）のワクチン接種を受けたことによって数百人が種痘後脳炎を発症、死亡したり後遺症が残る事態を引き起こしました。裁判では国が副反応への対応・対策を取らなかった過失が認められ、以降は特定のワクチンの強制接種は行なわれなくなっています。

ワクチン接種による副反応への不信感や忌避（きひ）感は、ワクチンが誕生した当初から現在まで連綿と続いています。ジェンナーが種痘を始めた18世紀末のイギリスでも、幕末の大坂で蘭方医の緒方洪庵（おがたこうあん）が種痘の普及に尽力したときも、〝牛痘〟というイメージの強さゆえか、「打てば牛になる」という風説が大衆の間で流布されたことは有名です。

２０２０年代においても同じようなことが起きています。

「コロナのワクチンを打てば遺伝子が組換えられる」「生物兵器だ」「不妊や流産の原因になる」という科学的根拠のない言説がＳＮＳで拡散され、今現在もさまざまな場所で軋轢(あつれき)を引き起こしています。

副反応による健康被害は極めて稀(まれ)ですが、可能性をゼロにすることはできません。医療の歴史においてワクチンは偉大なイノベーションですが、「異物を体内に入れる」という行為への不安や忌避感とどう向き合っていくかは、今後も人類の課題といえるでしょう。

◆身体の内部を透視するＸ線

近代医療の歴史に大きく貢献した医療テクノロジーという意味では、Ｘ線の発見が筆頭に挙がります。

身体に傷をつけることなく、身体の中身が見えるようになった。これもまた医療のあり方を大きく変えるイノベーションでした。

電磁波の一種であるＸ線が発見されたのは１８９５年。ドイツの物理学者であるヴィルヘルム・レントゲンが、真空放電の研究を行なっている際に物体を突き抜ける光を偶然発見したことが始まりでした。

　レントゲンはその未知の光線を「X線」と命名。「放射線の一新種について」と題した論文を発表したところ、瞬く間に専門家の間で反響を呼び、メディアでも大々的に報じられるところとなりました。

　X線が発見された翌年には、フランスの物理学者であるアンリ・ベクレル博士がウラン化合物の実験中に写真乾板が感光したことで、ウランが放射線を出していることを偶然発見します。単位にベクレルという言葉がついたのは、発見者の名前に由来します。

　さらに、レントゲンやベクレルの発見に刺激を受けたポーランドの物理学者マリー・キュリーは、同じく物理学者である夫ピエール・キュリーとの共同研究で放射線を出しているのがウラン原子であることを突き止めます。

　X線の発見とそれに続く物理学界の発見は、これまでにない新たな診断法として医学界からも注目されました。高い透過性で身体の内部を映し出すX線の能力は、手足や胸部などの診断に役立ちました。

　レントゲン、ベクレル、キュリー夫妻がいずれもこれらの功績によってノーベル物理学賞を受賞していることからも、その重要性がうかがえるでしょう。

◆身体を輪切りに見るCTの誕生

身体の内部を透視するX線、その次に来たイノベーションが「CT」でした。

CT（Computed Tomography）はコンピュータ断層撮影法の略称であり、その名の通り輪切りにしたかのように臓器の断層を見ることができる診断法です。

CT装置は、イギリスの電子工学者ゴッドフリー・ハウンズフィールドによって開発され、1973年に実用化されました。

CTは、簡単にいえばX線とコンピュータ技術を掛け合わせて画像を映し出すテクノロジーです。X線は身体の中を1枚の平面写真として映し出せますが、平面であるがゆえ骨や皮膚、血管が重なる部分がある肺などの病気に関しては判断が難しいという弱点がありました。要するに、立体的である人間の身体を正確に捉えるには、あと一歩の精度が欠けていたのです。

それならばコンピュータの優れた計算能力を活かして、平面のX線写真を三次元の立体画像に変えてみてはと思いついたのが電子工学の専門家、現在でいうところのエンジニアに近い専門知識を持っていたハウンズフィールドでした。

ＣＴはＸ線撮影を３６０度全方向から行なうことで、臓器をスキャンして鮮明な画像として映し出せることが特長です。スキャンによって得られたデータをコンピュータが画像処理することで、ミリ単位の病変でも検出できる解像度の高い画像が描出できます。脳出血などの脳疾患や心臓、がんなどの病変を早期発見する際にはＣＴ検査が役立っています。

ハウンズフィールドはＣＴ技術の開発によって、アメリカの物理学者であるアラン・コーマックとともに１９７９年にノーベル生理学・医学賞を受賞しています。技術者と物理学者による研究がノーベル生理学・医学賞を受賞するのはレアケースです。このことからも医学の歴史においてＣＴがいかにインパクトのあるテクノロジーだったかがわかるでしょう。

また、ＣＴと同じく身体内部の断層画像を撮影する技術としてＭＲＩ（Magnetic Resonance Imaging：磁気共鳴画像診断）があります。

Ｘ線を用いて撮影するＣＴとは異なり、ＭＲＩは大きな磁石による強い磁場と電波を使って身体内部の断面画像を撮影します。頭蓋骨に囲まれた脳や脊髄、手足の筋肉、骨盤内の臓器などの診断にはＭＲＩ検査がより適しています。

◆医療機器はディープラーニングで進化する

　ＣＴとＭＲＩは画像を得る手段が異なるため、それぞれ個別に発展を遂げてきました。しかし、近年は医療現場におけるＡＩのディープラーニングを活用することで両者はさらなる進化を遂げています。

　ＣＴやＭＲＩで得られた画像から病気の状況をどう判断するかは、それまで専門医であっても意見が分かれることが珍しくありませんでした。たとえば脳の動脈瘤の可能性がある部分を目視で探す「読影（どくえい）」などは、医療者の経験値に左右されてしまうため病変を見逃してしまうこともありました。

　しかし、大量の医療画像データからある種のパターンを発見し、何らかの判断や処理を行なうディープラーニングを活用すれば、診断精度は飛躍的に高まります。

　病変の診断・分類などに関しては、すでにコンピュータのほうが人間を超えている、といえる時代に突入してきているでしょう。がんのように大量の画像データが蓄積されている病気の症例に関しては、ベテラン医師以上の正確さでＡＩが診断を下せる時代がすでに到来しているのです。

2022年4月に販売が発表された、キヤノンの最新CT・MRI装置でもAI技術がフルに活用されています。

この最新装置ではディープラーニングを用いて設計した新しい画像構成技術により、画像のノイズ成分を除去・再構成することで、よりクリアに病態を描出できるようになっています。キヤノンが持つカメラや画像処理の技術とAIの画像診断を組み合わせることで、診断作業の効率化を目指した最先端装置といっていいでしょう。

また、東北大学発の医療テクノロジー系スタートアップ企業「CogSmart」は、MRI画像のAI解析により脳の海馬（かいば）の萎縮度などを評価し、個別の予防行動を提示することで、将来の認知症へのリスク低減を促すソフトウェアを開発しています。

◆身体の内部を覗いてみる「内視鏡」

レントゲンやCT、MRIが生まれるよりもはるかに前に、「身体の内側に器具を入れて覗き見ることで病態がわかるはずだ」という医療者たちの発想のもとに進化を遂げたのが内視鏡です。

現代的な内視鏡のルーツが生まれたのは19世紀初頭ですが、体腔（たいくう）内を照らし出す強い光源と病変を映すレンズを合体させ、かつスムーズに挿入できる形になるまで150年近くにわたる試行錯誤がありました。

ステージが飛躍的に進歩したきっかけは1949年、日本の胃カメラ開発が始まったことでした。東京大学附属病院分院の医師が、オリンパス光学工業（現・オリンパス）に「患者の胃の中を写して見るカメラをつくってほしい」という依頼を持ち込んだことを受け、試行錯誤の末に「腹中カメラ」を開発。軟らかい管の先端部にフィルム巻き上げ式の超小型カメラと照明ランプを埋め込み、体腔内に挿入して胃や腸の様子を見る胃カメラの出現によって、体腔内の診断・検査が可能となりました。

その後もオリンパスは東大病院医師団からのフィードバックを反映させながら、ファイバースコープ付き胃カメラ、ビデオスコープ、ハイビジョンシステム、カプセル内視鏡など新たなテクノロジーの発展とともに内視鏡診断の精度・自由度を上げていきました。患部の早期発見・治療に有用な内視鏡の開発の進歩は、予防医学の発展にも大きく貢献していいます。医療の歴史において内視鏡は数少ない日本発のイノベーションであり、またその背景には産学連携の理想的なモデルがあったともいえるでしょう。

◆手術支援ロボットアームは戦国時代へ

外科手術の現場においてもテクノロジーが大きな影響を与えています。最たる例は、手術支援ロボットの登場でしょう。米インテュイティブサージカル社が開発した手術用ロボット「ダビンチ」は、手術支援ロボットのフロントランナーです。開発が始まったのは1980年代末。アメリカ陸軍が遠隔操作で戦場の負傷者に手術を行なうことを目的として、国防高等研究計画局に医療用ロボットの開発を依頼し、1999年に世界初の手術支援ロボットとして誕生しました。

ダビンチは患者の身体的な負担が少ない内視鏡手術支援ロボットです。ハイビジョン3Dモニターを見ながら医師が遠隔操作で装置を動かすことで、手の動きがコンピュータを通じてロボットアームに伝わり、人間の手以上の緻密な手術操作が可能になりました。

手術支援ロボットの市場は長らくダビンチの独占状態にありましたが、インテュイティブサージカル社がこれまで押さえてきた、ダビンチの基本動作やデザインに関する数百種類もの特許が2019年で期限切れを迎えたことから、グーグルとジョンソン・エンド・ジョンソンの医療部門がタッグを組んで設立したスタートアップ企業をはじめ、後発組も続々と参入しています。

そのような苛烈な競争下で、初の国産手術支援ロボットである「hinotori（ヒノトリ）サージカルロボットシステム」も健闘しています。産業用ロボットの大手である川崎重工業と、臨床検査機器やソフトウェアを開発するシスメックスによる合弁会社メディカロイドが神戸大学と組んで開発したヒノトリは、２０２０年の初手術に成功しました。価格はダビンチの半分程度とされており、大都市圏の病院を中心に導入が進んでいます。

国内では他にも、国立がん研究センター発のスタートアップ企業「A-Traction（エートラクション）」による直腸がん手術の支援に特化した手術支援ロボット、東京工業大学と東京医科歯科大学によるスタートアップ企業「リバーフィールド社」の空気圧で動く内視鏡ホルダーロボット「ＥＭＡＲＯ（エマロ）」など、多様な手術支援ロボットの開発が相次いでいます。

かつては手術といえばイコール開腹手術でしたが、今後は医師が手術支援ロボットを用いての内視鏡手術へとスタンダードが置き換わっていくかもしれません。

病変を鮮明に映し出す高画質な３Ｄ画像と正確な動作ができるロボットアームによって、より緻密な手術が可能になっていくでしょう。医師とロボットが共存する時代はすでにに来ているのです。

◆ウェアラブル端末が一次予防を底上げする

最先端の技術を盛り込んだハードウェアを活用して、いかにして病気を治すか。これが従来の医療の基本であり、医療とはすでに何らかの症状が出ている人を治療するためのものでした。

しかし、近年は「予防」の視点から医療を捉え直す「予防医療」の考え方に重きが置かれてきています。

これまで健康を維持して病気を予防するためには、次の3つの段階がありました。まずは、日常生活でバランスの良い食生活や適度な運動を心がける「一次予防」、次に定期健診や人間ドックを受ける「二次予防」、そして専門的な治療で病気の進行や症状を抑えてQOLを維持する「三次予防」です。

このうち一次予防に役立つアイテムとして登場したのがウェアラブルデバイスです。「Apple Watch」のようなヘルスケア機能を強化させたウェアラブルデバイスを装着するだけで、誰もが意識せずに歩行や運動、心拍、脈拍、睡眠時間などを捕捉できるようになりました。毎日の運動や眠りの質が可視化されるようになったことは、日常の健康意識を高める上で大切なポイントです。

現在は腕時計のように装着するタイプがほとんどですが、今後はさらにOura Ringのような指輪型などよりコンパクトなウェアラブルデバイスも普及してくるかもしれません。テクノロジーの進歩によって、大衆の「予防医療」意識は間違いなく底上げされています。

◆がんになる前に臓器を切除する予防法も

「どうしたら長く健康でいられるのか」という予防医療の核心をさらに突き詰めていくと、最後にはやはり私たちの身体をつくる設計図、すなわちＤＮＡにたどり着きます。

ＤＮＡとはいわば膨大な遺伝情報が書き込まれた本のようなものです。子どもの顔がどちらかの親に似るように、病気のかかりやすさも親から受け継がれるＤＮＡによって遺伝するケースがあります。

そうした遺伝的傾向を事前に把握しておき、発症する前に予防的に対応するという選択をする人々は少なくともアメリカにおいては着実に増えてきています。

２０１３年、ハリウッド女優のアンジェリーナ・ジョリーは、乳がん発症予防のために両乳房切除・再建手術を受けたことを公表して日本でも大きな話題となりました。

母親を乳がんで亡くしている彼女は、遺伝子テストによって乳がんと卵巣（らんそう）がんの発症率に影響する「ＢＲＣＡ１」という遺伝子に変異があると診断されたことで、両乳房切除と、２０１５年には卵巣・卵管摘出手術を受けたのです。

つまり、その時点でがんはできていなかったものの、将来的に乳がん・卵巣がん発症のリスクが極めて高いという遺伝子テストの結果を踏まえて、積極的な予防策としてがんができやすい部位の切除・摘出に踏み切ったのです。

アンジェリーナ・ジョリーの選択が正しいかどうかは誰にも決められませんが、発症する前に予防する「未病」の姿勢が今後ヘルスケアの要（かなめ）になっていくことが予想されます。彼女のニュースが報道されたあと、遺伝子検査への問い合わせは各国で大幅に増えたといわれています。

◆ゲノム解析で医療は個別化していく

最近、日本でも数万円前後の価格帯で手軽に遺伝子検査が受けられるようになりました。ＤＮＡの塩基配列を自動的に読み取り、解析する装置「ＤＮＡシークエンサー」の開発競争によって、遺伝子解析コストが劇的に下がったためです。

遺伝子配列それ自体はほぼ変わりません。ですから、病気のリスク、太りやすさなどの体質、肌質など自分の持つ遺伝的傾向を知っておけば、その後も運動・食習慣などの健康的な生活を意識していく上でのモチベーションにもつながります。

これまでの医療は不特定多数の患者を前提としたものでしたが、遺伝子レベルでその人の特徴がわかるようになれば、それぞれに遺伝子に応じて治療を選択していく「個別化医療」が可能になっていくでしょう。

また、狙ったゲノムの場所を改変できる画期的なゲノム編集技術「クリスパー・キャスナイン」の医療応用が実現に向けて近づいていることにも期待が高まっています。20年後にはクリスパー・キャスナインを用いた治療によって、不治の病とされてきた遺伝子疾患が根治できるようになっているかもしれません。

病気の診断、予防、治療、創薬のあり方に至るまで、ゲノム情報の応用は医療の世界に大きな変革をもたらしつつあります。平均寿命が延(の)び、地球の人口も増加していることを考えれば、ヘルスケアの需要が今後も伸びていくことは明らかです。ゲノム解析やＡＩによるディープラーニング技術、画像解析ソフトウェアなどの最先端のテクノロジーという武器と医療現場の課題を組み合わせることによって、イノベーションもより起きやすくなるでしょう。

◆創薬界のゲームチェンジャー「アルファフォールド」

薬剤の開発においても、AIが劇的な変革を起こしています。

グーグルの傘下にあるディープマインド社が開発した「AlphaFold（アルファフォールド）」と呼ばれるAIソフトウェアがあります。囲碁の対局で世界最強のプロ棋士を打ち負かしたコンピュータ囲碁プログラム「AlphaGo（アルファ碁）」を開発した企業と聞けば思い当たる人も多いでしょう。

アルファフォールドはディープラーニング技術を用いて、タンパク質の三次元構造予測を行なうAIソフトです。生命活動を維持していく上で欠かせないタンパク質がどのような構造になっているかを理解することは、医学の発展に欠かせません。タンパク質は数十種類のアミノ酸からできており、配列によってさまざまに変化します。また、各タンパク質のアミノ酸が連なって配列される複雑に折りたたまれた三次元構造となっています。ヒトの体内に存在する約10万種ものタンパク質をそれぞれ解析し、三次元構造を特定するためには、これまで数年単位の長い時間と多額のコストが必要でした。

その状況を一変させたのがアルファフォールドです。

ディープマインド社は、ディープラーニングの技術を使ってすでに構造が判明していたタンパク質のアミノ酸のつながり方を大量にＡＩに学習させ、新たなタンパク質構造を予測するソフトウェアとしてアルファフォールドを開発します。２０１８年にはタンパク質構造を予測するアルゴリズムの精度を競う「ＣＡＳＰ」で総合１位を獲得。その予測精度の高さは世界の研究者たちを驚愕させました。

こうした出来事を通じて、ＡＩによるタンパク質の三次元構造解析はここ数十年で最もホットなトピックスに躍り出たのです。

さらに２０２１年、ディープマインド社はアルファフォールドを誰でも無償で利用できるようオープンソースで公開します。これによって生物学・医学・創薬の領域でゲームチェンジが起きたのです。重要な点は、こうした変革は、伝統的な医学を起点にしたわけではないということです。大きな変化は、変化が早い領域から起こりやすいというのはひとつの見方でしょう。

◆ＡＩ活用で新薬開発もスピーディーに

とりわけ創薬の開発プロセスにおける近年の効率化には目を見張るものがあります。これまでは研究者の予測やランダムな材料の掛け合わせによって地道に一歩ずつ探り当てていくしかなかった工程が、ＡＩのディープラーニングのおかげで高速に解析されるようになったからです。

アメリカのスタートアップ企業が開発したディープラーニングを活用した医療用ＡＩソフト「AtomNet（アトムネット）」は、スーパーコンピュータとアルゴリズムを組み合わせることで、薬を構成する材料と相性のいいタンパク質を特定できるため、新薬の開発を高速スピードで推し進めることを可能にしました。

エボラ出血熱に関する研究では、既存の医薬品およそ７０００点がエボラ出血熱の病原体に効果的に働くかどうかを、たった１日で解析しています。

２０２１年にはグーグルの親会社である米アルファベットも、アルファフォールドＡＩを使った創薬事業を手掛ける新会社「Isomorphic Labs（アイソモーフィック・ラボ）」の設立を発表。同社のＣＥＯはアルファフォールドを開発したディープマインド社の創業者であるデミス・ハサビス代表が兼任しています。また、グーグル傘下のディープマインド社は、アルファフォールド以外にも人工知能「アルファ碁」を応用して、頭頸部がんに対して最適な放射線治療が行なえるよう研究開発を進めています。

疾患ターゲット探索や物質の掛け合わせに関しては、人間の頭脳よりもＡＩのほうが確実に高精度な予測を実現できます。今後も識別、診断、計算などはテクノロジーに任せていく方向へと進むでしょう。

◆コロナ判定だけじゃないＰＣＲ検査

医療検査の歴史におけるイノベーションという意味では、新型コロナウイルス感染症の診断方法として一躍メジャーになったＰＣＲ検査もそのひとつです。

ポリメラーゼ連鎖反応（polymerase chain reaction）の頭文字からなるＰＣＲとは、ウイルスや細菌の遺伝子を数百万倍に増幅させて検出する方法です。ＤＮＡの断片を短時間で大量に増やすことができるため、コロナのみならずインフルエンザなどの感染症の診断や、ＤＮＡ型鑑定などの犯罪捜査でも広く使われています。

ＰＣＲ法を開発したのはアメリカのバイオベンチャーであるシータス社に勤務していた

生化学者のキャリー・マリスで、交際中だった同僚とのドライブ中に閃(ひらめ)いたアイデアといわれています。しかし、周りの研究者はそのアイデアには否定的で、応援してくれたのはビジネスマンだったといいます。

革新的なアイデアというものは、その専門領域の人でも最初は大半が疑うものです。彼はこの功績によって1993年のノーベル化学賞を受賞しています。新型コロナウイルス対策でPCR検査体制が拡充されたことによって、今後は他の感染症の診断もより早く、正確になっていくことが期待されています。

また、PCR法の優れた仕組みは医療以外の領域でも続々と活用され、新しい発見をもたらしています。

たとえば、かずさDNA研究所、島根大学、京都府立大学は共同で、サクラの人気品種のソメイヨシノの遺伝子発現に基づいた開花予測技術を開発したことを2022年に発表しました。開花前になると発現量が増加する遺伝子をPCR法によって測定し、統計的に処理することで開花日を予測できるようになったということです。

この技術は同じバラ科のナシやモモなど、さまざまな果樹の開花予測にも今後応用されることが期待できます。

また、川や湖の水に溶け込んだＤＮＡを解析することで、その水域にどんな生物がどれくらいの割合で含まれているかも、ＰＣＲ検査によってわかるようになりました。

◆医者が不要になる未来は来るのか

「そこまで機械や検査技術が進化して、診断や手術までしてくれる時代になるのであれば、もはや医者はいらないのでは？」と感じた人もいるかもしれません。

結論から言うと、医師をはじめとした医療従事者の必要性はこれからも変わらないでしょう。医療機器がどんなに進化しても、マンパワーは必須です。これまで医師が担っていた画像診断や手術の一部がテクノロジーに集約されていくことは予想されますが、「医師の代わり」とまではならず、「医師が自分でしかできないことにより集中できる」と私は思っています。後期高齢者が増加して、介護や医療のニーズが高まる日本においてはなおさらでしょう。

医療の現場は、科学的事実や正確性の高い処理だけで成り立つ領域ではありません。ワクチンが多くの人類の命を救ってきた歴史的事実があっても、国民全員が新型コロナウイルスのワクチン接種に同意した国がないことを考えれば、それも頷（うなず）けるのではないでしようか。

医療者と医療テクノロジーの関係性は、公認会計士と会計ソフトのそれとよく似ているかもしれません。

会計処理を記録し、必要な帳簿書類を作成する会計ソフトがどれだけ登場しても、完全自動でない限り、会計士の職が奪われるわけではありません。会計ソフトを使いこなし、より効率的に作業を進める会計士の数が増えただけでしょう。

ただし、最先端の医療機器というハードウェアに判断や処理を負う部分が大きくなることは確実ですから、開業医のような小規模の事業経営者が得られるメリットは今後どんどん減っていく可能性があります。

◆健康維持がインセンティブになる制度設計を

多くの人々にとって、健康とは身体のデフォルトの状態であると認識されています。病気を発症することがイレギュラーな事態であって、健康であることはごく普通の当たり前のことだ、と無意識のうちに多くの人が思っています。

だからこそ、健康である人間はヘルスケア領域にさほどお金を払いません。健康はタダで手に入るものという感覚が社会に根付いているからです。しかし、実際は、治療よりも予防のほうがコストはかからない、というコストパフォーマンス（費用対効果）に気づかなければ誤った判断をしていることになります。

今後はテクノロジーの進化によって健康であることが得になる、すなわちインセンティブが生まれる仕組みづくりがどんどん進んでいくでしょう。

すでに住友生命では２０１８年から、日々の運動や健康診断などの取り組みをポイント化して評価し、それに応じて保険料が下がる仕組みの「Vitality（バイタリティ）」という商品を売り出し、２０２２年５月には１００万件の加入を発表しています。

「Vitality」の加入者は健康診断の結果をスマートフォンなどからアップロードし、健康状態をオンラインチェックすることでまずポイントを獲得します。さらに、フィットネスジムの利用やスポーツイベントへの参加、ウェアラブルデバイスを通じた日常の運動による歩数や心拍数が増えると、その数字に応じてポイントが増加し、割引や特典が得られるという仕組みです。つまり、加入者は健康習慣を維持することで保険料が下がるというメリットが得られるのです。

もちろん、加入者が病気にかかるリスクを低下させて健康であることによって、保険会社には保険金の支払いを抑えられるというメリットがもたらされます。

これまで保険プランといえば年齢・性別・既往歴といった必要最低限の条件のみで一律に提案されるのが普通でした。しかし、今後は個別化医療が進むのと並行して、保険の分野でもAIが大量のデータを解析することで、その人に最適な選択肢を提案するパーソナライズがヘルスケアのトレンドとしてさらなる進化を遂げていくでしょう。

◆ソニーもリハビリ支援サービスへ進出

ソニーもまた、デジタルテクノロジーを活用した医療・ヘルスケア事業に乗り出しています。

2022年4月にソニーグループとエムスリー（元々ソニーが出資をしていたベンチャー企業）は新会社「サプリム」を設立しました。超高齢化社会に突入した日本の現状を踏まえて、在宅でのリハビリ支援を行なう身体機能改善事業、高齢期の虚弱（フレイル）予防事業、ウェアラブルデバイスを活用した医療センシング事業を展開していくことを発表しました。

第一弾として発表されたプロダクトは、ひとりでできる在宅リハビリサービス「リハカツ」です。「リハカツ」は脳卒中患者をはじめとしたリハビリが必要な人々を対象に、ソニーが長年研究を進めてきた「姿勢推定ＡＩ技術」によって正しく運動ができているかを判定する動作解析技術を用い、身体の動きの評価結果に合わせたトレーニングを提案する在宅リハビリ支援サービスです。

スマートフォンがあればどこでもできるため、リハビリ施設に通う必要もありません。理学療法士や作業療法士に指導されて継続するのが当たり前だったリハビリも、こうしたアプリのサポートがあれば、いずれは全面的とまではいかなくとも大部分はひとりで続けられるようになるかもしれません。

◆他業界の新技術が医療を進化させる

ソニーの事例のように、他業界で培ってきた新しいテクノロジーを応用し、変革を起こすこともまた、ヘルスケア領域におけるイノベーションの形といえます。

Ｘ線は物理学者が発見したものであり、ＣＴは電子工学者による発明でした。ウェアラブルデバイスも、ヘルスケアのために誕生したプロダクトではありません。今後も他業界のテクノロジーを取り入れることによって、先進医療の提供・研究はますます加速化していくでしょう。

誤解されやすいのですが、ＡＩを活用したからといって、すべての医療が自動化・ロボット化されるわけではありません。ＡＩによって導き出されたデータは判断のための材料であり、そこに誤差が生じる可能性もゼロではないからです。

また、秘匿性の高い個人情報をどう安全に管理するかという点も、慎重に取り扱う必要があります。豊富な臨床経験を持つ医療従事者の判断力や、患者に寄り添うケアの精神はこれからも変わらず求められていくでしょう。

第４章

移動の革命

◆車輪・鉄・馬の組み合わせで「馬車」が誕生

ある場所から別の場所への「移動」は、氷河期の時代だけでなく人類の発展を支えてきたアクションであり、人類の歴史は移動の歴史といっても過言ではありません。そして自分の足で歩く以外の方法、すなわち「乗り物」を手に入れたことによって、私たちはより遠くへと行くことができるようになりました。

人類の誕生から1810年代まで、最も速い乗り物は家畜化された馬でした。

それとは別に、重い物を持ち運ぶ際には円柱形の道具（コロ）を下に敷くと便利だというアイデアから車輪が生まれ、さらに鉄の発見と結びついたことで強度の高い車輪が作られるようになります。

そして、その車輪と人間が扱える最速の動物を組み合わせてはどうだろうという発想から誕生したのが「馬車」でした。紀元前のインダス文明の遺跡からは轍（わだち）のある道路跡が、古代メソポタミア文明の遺跡からは馬車の粘土模型が、それぞれ発掘されています。

車輪の発明、鉄の発見、馬の活用。この3つを組み合わせて生まれた馬車こそが、乗り物の世界で起きた初期のイノベーションのひとつといえるでしょう。

ヨーロッパの近代の成り立ちを見ていく上でも、馬車が果たした役割は決して小さくありません。16世紀には屋根がついたボックス型の箱馬車を所有し、それに乗って移動することは貴族にとってのステイタスでした。

さらに貴族が属する宮廷の儀礼においても馬車が重要な役割を果たすようになり、馬車の普及が始まります。それによって馬車のために街道が舗装・整備されるようになり、建築や道路、都市交通にも大きな影響を与えていくこととなります。

17世紀にはロンドンに辻馬車が登場します。定められた場所で客を待ち、運賃と引き換えに指示された場所へと連れて行く辻馬車は、現在のタクシーシステムの前身ともいえるでしょう。

◆新たな動力源「蒸気機関」

1769年、イギリスの発明家・エンジニアであったジェームズ・ワットが新方式の蒸気機関を開発します。ボイラーで発生させた水蒸気を動力源として活用する蒸気機関はそれまでもありましたが、ワットがよりパワフルに効率化させたことによって蒸気機関の用途が一気に広がります。

交通機関への応用は蒸気船から始まり、１８０４年には蒸気機関車が誕生。改良が重ねられ、馬車よりもより速く、より多くの人や物を運べる陸上の乗り物へと進化を遂げていきます。一方で、１８１７年にはドイツのカール・フォン・ドライス男爵が人力で走る木製二輪車を発明しています。ドライス男爵自らがこれに乗って駅馬車と競走し、圧倒的な勝利を収めたという記録も残っています。

そして１８８６年、ドイツのダイムラーとベンツがそれぞれガソリンで走るガソリンエンジン車を開発しました。現在の自動車と同じようにガソリンで走る自動車の歴史はここから始まったのです。

しかし、当時の最先端技術を投入して開発された自動車は当然のことながら高級品であり、一般庶民には到底手が届くものではありませんでした。一方で、道路や都市設計のすべては１００年以上の月日をかけて馬車に適した仕様に整備されていたため、自動車ユーザーにとって快適な環境ともいえませんでした。そのため、自動車はごく一部の富裕層のぜいたく品に過ぎなかったのです。

◆ガソリン自動車の優位性を決定づけたT型フォード

流れを変えたのは「フォード・モデルT（通称：T型フォード）」です。

1908年、アメリカのフォード社は世界で初めて自動車産業における量生産体制を確立します。モデルを標準化させることによって流れ作業で多くの同じ自動車を製造できるようになり、徹底したコスト管理によって価格も安く抑えられるようになりました。

多くの自動車が2000ドル以上だったのに比べて、T型フォードは850ドルの値札が付けられました。1913年には工場内にベルトコンベヤーを使った世界初の「生産ライン」を設け、熟練工でない労働者でも車の組み立てができるように本格的な大量生産体制を整えます。

1900年のニューヨーク五番街を撮影した写真を見ると、道の両脇を大勢の大衆が歩き、大通りの真ん中を馬車が闊歩（かっぽ）している風景が写されています。ところが1913年に同じ場所を撮影した写真を見ると、風景が一変しています。わずか13年後には馬車の姿がほぼ消え去り、Tフォードが大通りのほとんどを埋め尽くしているのです。

1921年にはTフォードの累計生産台数は500万台に達し、アメリカ国内でのシェアは55・45パーセントという驚くべき数字を叩き出しています。Tフォードは都市部だけでなく農村にも普及し、そこから約100年超続くガソリン自動車の優位性はこのときに決定づけられました。

日本でも1907年に国産第1号のガソリン自動車が製作されています。ガソリン自動車が大衆の移動手段となったことで、人々は重い荷物を車に載せ、自分で運転して好きな場所へと行ける自由を手に入れました。

◆100年置きに変化してきたモビリティの歴史

18世紀までは馬車が使われ、19世紀を代表するテクノロジーとして蒸気機関が生まれ、そして20世紀は自動車の時代になりました。一部の富裕層から大衆へと広がったことでモビリティの形と役割も大きく変化し、生活はより豊かになりました。

しかし、ガソリンは万能の資源ではありませんでした。

20世紀後半になると自動車から排出されるガスに含まれる一酸化炭素、炭化水素、鉛化合物などが原因で大気汚染が世界的な問題となります。

地球温暖化防止、そして枯渇（こかつ）が近いとされる石油の未来を見据えた上で、世界初の量産ハイブリッド車として1997年に誕生したのがトヨタの「プリウス」でした。

初代プリウスのキャッチコピーは「21世紀に間に合いました」です。

次の100年を間近に控えて、再び中長期的なクルマのあり方を考える時代のステージに来ていることをトヨタはいち早く理解していたのでしょう。

プリウスに搭載された「トヨタハイブリッドシステム」は、内燃機関と電気モーターの2種の動力源を用いたエンジン装置です。排出ガス規制が始まった1960年代以降、電気自動車（EV）や燃料電池車（FCV）などの新しい動力源を模索してきた中で、トヨタがたどり着いた結論は、ハイブリッドエンジンでした。

ガソリン車に劣らない走行性能を保ちながら、約2倍の低燃費とCO_2排出量半減を実現したプリウスはヒット商品となり、今では当たり前になっているハイブリッド車という新しいマーケットの歴史を切り開きました。

俳優のレオナルド・ディカプリオがプリウスでアカデミー賞授賞式に乗りつけたというエピソードは有名ですが、キャメロン・ディアスやサラ・ジェシカ・パーカー、オーランド・ブルームといったハリウッドセレブたちもプリウスユーザーとして知られています。

エコカーの代名詞であったプリウスに乗ることは、地球環境に配慮しているという世間への意思表明としても機能したのです。それまでのクルマ選びにはなかった新たな視点が誕生しました。

◆そしてEV車の波がやってきた

プリウスの大ヒットによって、エコカーという新たな市場が生まれました。その次に来たのが、今まさに普及の途上にあるEV（Electric Vehicle）をエンジンとするクルマ、すなわち電気自動車です。

そして現在、王者としてEV車市場を牽引（けんいん）している企業は、今のところ言うまでもなく「テスラ」です。

PayPal（ペイパル）の初期メンバーであるイーロン・マスク氏が、以前から出資していたテスラ・モーターズ（現テスラ）のCEOに就任したのは2008年でした。マスク氏は当初から「人類が化石燃料利用による経済から脱却するためにEVを製造している」「炭化水素経済から太陽電池経済への移行を促進する」と公言しており、たんなる自動車メーカーとしてではなく、持続可能なエネルギーシフトを前提とした視点からテスラの存在意義を定義していました。

2010年にはナスダックへ株式上場。アメリカの自動車メーカーとしては1956年のフォード社以来、初となる新規株式公開（IPO）を行ないました。

2012年には自社でゼロから設計した「Model S」の出荷を開始します。従来型の自動車製造とはまったく異なるアプローチでつくられた「Model S」は、製造上の問題から納期が大幅に遅れましたが、次世代カーとして世間の注目を集めました。

「Model S」はそのコンセプトの先進性から注目を集めましたが、決して最初から完璧だったわけではありません。ところどころに見られる細部の詰めの甘さは、自動車メーカーや業界の人間から見ると「こんなオモチャのような車が売れるわけがない」と酷評されていました。

また、発売当初はガソリンスタンドのようにあちこちに充電スタンドが設置されていませんでしたから、その不便さを指摘する声も多く上がっていました。

潮目が変わったのは「Model 3」からです。

走行性が高く、乗り心地も快適、加速もスムーズで、価格も500万円台と他のモデルと比べると安価だったため、手軽なEV車としてヒットしました。

◆テスラの時価総額がトヨタを抜いた日

２０２０年、テスラの時価総額がトヨタ自動車を抜き去って業界トップになったという報道が世間を驚かせました。

世界最大手の自動車メーカーであるトヨタが、歴史の浅いスタートアップ企業に時価総額で負けた。それどころか、トヨタ、フォルクスワーゲン、ダイムラー、ＧＭ、ＢＭＷ、ステランティス、フォードと名だたる自動車メーカー７社が束になってもテスラ１社の時価総額には敵わなかったのです。

さらに、上場している世界の自動車メーカー１８４社の総価値のうち41パーセントをテスラが占めているという報道もあります。

日本においてもテスラは初めての電気自動車ではありません。国内メーカーでいえば日産が１９４７年から電気自動車の開発を続けており、２０１０年には量産型ＥＶ車の初代「日産リーフ」が発売されました。しかし、やはり充電ステーションの不足などから売り上げは伸び悩み、国内のＥＶ車としては健闘しているものの、大きなシェアを占めるまでには至っていません。

なぜテスラはここまで成功できたのでしょうか。

テスラの車内は非常にシンプルです。iPadのようなタッチパネルでさまざまなことを操作するスタイルで、ソフトウェアのOSを定期的にアップデートすることによって新機能を追加できる点などは、既存のガソリン自動車とはまったくの別物といえるでしょう。このOSの核となっているのは、テスラが自社のスーパーコンピュータで独自に開発したAIチップであり、自動車のさまざまな機能を制御する技術においては明らかに他社を先行しています。

また、イーロン・マスク自身の話題性もテスラのプロモーションとして大きな役割を果たしていることもあります。

しかし、現在のヒットに至る大きな要因をひとつ挙げるならば、差別化戦略によるブランディングに成功したことだといえます。

◆テスラの卓越したブランド戦略

テスラが最初にリリースしたのは、スポーツカーとして名高いロータスの車体に自社のEVシステムを載せた「テスラ・ロードスター」でした。約1000万円という高価格ながらも、洗練されたデザインからブラッド・ピットやジョージ・クルーニーなどのハリウッドスターがこぞって買い求め、一躍注目が集まります。先に述べたプリウスユーザーだったレオナルド・ディカプリオが、テスラのロードスターに乗り換えた話も象徴的でしょう。

その後も高級セダン「Model S」、高級SUVとミニバンのクロスオーバーである「Model X」などを続々リリースし、庶民の手が届く大衆車「Model 3」によっていよいよ量産化に向かいつつ、並行して家庭用蓄電池「パワーウォール」と太陽光パネルを組み合わせて販売する戦略も今のところ成功しています。

テスラを購入するユーザーの多くは、「EV車が欲しいから」テスラを買うのではありません。テスラが打ち出すイメージに憧れ、共感することで、「テスラが欲しいから」買っているのです。

昔のiPodとMP3プレイヤーの関係性によく似ています。アップルのiPodが4億台を超えるメガヒット商品となったのは、音楽を聴くための道具として特別に優れていただけではありません。「ポケットに1000曲」というコピーに象徴されるように、携帯音楽プレイヤーというジャンルの中で音楽のインターネット配信も手掛けるという、顧客にとって利便性のあることを何でも扱う独自のクールな存在感を発揮し、携帯音楽プレイヤーに対する人々の捉え方を変えてしまったからです。

「MP3プレイヤーが欲しいのではなく、iPodが欲しい」と人々に思わせたことがアップルの勝利につながりました。

◆サンフランシスコでは自動運転タクシーが走行中

EVシフトと並ぶ自動車業界のもうひとつの大きなムーブメント、それが自動運転技術です。むしろ、ガソリン自動車からEV車へのシフト以上に、自動運転システムをどう搭載させていくかが「未来のクルマ」の鍵を握っているはずです。

アメリカ最大級の自動車メーカーでありながらもリーマン・ショックで経営破綻に追い込まれたGMは、自動運転技術を持つシリコンバレーのスタートアップ企業クルーズ社を2016年に買収します。2013年に設立されたクルーズ社のその時点での売上はほぼゼロの状態でしたが、買収額は10億ドル（約1140億円）と報じられています。この買収額だけを見ても、GMが自動運転ソフトの開発をどれほど重視していたかが伝わってきます。

ＧＭの自動運転車部門となったクルーズは、２０２２年2月からカリフォルニア州サンフランシスコで自動運転タクシーの一般向けサービスを開始しています。２０２２年6月現在は営業免許も獲得し、台数はまだ少なくとも、サンフランシスコの街中を他の自動車と同じように普通に自動運転タクシーが走っているのです。

クルーズのＣＥＯは「２０３０年までに自動運転タクシーの車両数を１００万台まで増やす」という目標を明らかにしています。

日本でも自動運転モビリティサービスの開始に向けての動きが始まっています。

ホンダはクルーズと自動運転モビリティサービス事業専用車両「クルーズ・オリジン」を共同開発しており、２０２０年代半ばには同車両を使ったサービスの日本での展開を目指してきました。２０２２年4月にはハイヤー・タクシーなどの交通事業を行なう帝都自動車交通、国際自動車と、自動運転モビリティサービスの自動運転モビリティサービス提供開始に向けて検討する基本合意書を締結しました。今後は都心部での実証実験などを行なっていくことが発表されています。

◆自動運転の本格的運用は貨物トラックにも

クルーズと同じくサンフランシスコで自動運転車による商業サービス提供の認可を受けているのが、２０１６年にグーグルから分社化したWaymo（ウェイモ）です。サンフランシスコの指定されたエリア内においては、すでに自動運転タクシーを一般客に提供しています。また、ウェイモはニューヨーク市内の街路を走行するマッピング作業をすでに開始しています。

ウェイモも当初は自動運転テクシーのトップランナーでしたが、現在はタクシーよりも大型トラック、すなわち貨物輸送のほうにも注力しています。貨物輸送大手のＪＢハントやＣＨロビンソンと提携し、自動運転トラック輸送の運用開始に向けて動き出しています。一般道を走るタクシーであれば毎回異なる客を乗せることになりますが、長距離輸送の場合は、Ａ地点からＢ地点へという運送ルートがあらかじめ把握できるため予測可能性が高いため、より自動化に向いているというメリットがあります。

また、アメリカのトラック運送業界ではコロナ禍以降、深刻なドライバー不足に悩まされています。２０２２年４月にはバイデン大統領がホワイトハウスにトラック運転手とその家族を招き、「投資銀行に勤める全員が辞めても何かが変わるわけではないが、あなたたち全員が辞めたらすべてが止まる」と演説し、待遇や労働環境の改善に取り組むことを明言しました。このことからもドライバー不足の深刻さがうかがえるでしょう。

しかし、人間のドライバーではなくロボットが運転する自動運転トラックが実用化されれば、国内輸送の7割を担っているトラックの物流網安定にも向かいます。運送会社もより低コストで大きな収益を上げられるようになるでしょう。

長距離輸送トラックの自動運転技術を開発するスタートアップ企業のコディアック・ロボティクスは米国最大級の運送会社を運営するU.S. Xpressと協力し、すでに自動運転による貨物輸送に着手しています。物流関連大手と自動運転テクノロジー研究のスタートアップ企業による提携は、今後ますます加速していくでしょう。自動運転の主戦場は、タクシーだけでなく物流になる可能性もあります。

◆クルマの現在地点と今後の課題

ここでいったん、大きなパラダイムシフトを迎えようとしているクルマの現在地を確認しましょう。重要なポイントは2つ。ガソリンからEVへのシフト、そしてロボットによる自動運転化です。

自動車メーカーの多くはすでにEV化に向けて始動していますが、それでも「クルマ＝エンジンを駆動させるもの」という概念を基本にしてきた各社にとっては、モーター駆動のEVシフトは現実的にそう簡単なことではありません。

ハイブリッド車を普及させ、その後は水素燃料自動車の戦略を推し進めてきたトヨタも、「2030年までにEV車の世界販売台数で350万台を目指す」と2021年末に宣言しました。海外メーカーに比べるとやはり出遅れ感は否めませんが、脱炭素の流れともマッチする水素カーも、何かひとつ活路が見出せれば需要が一気に高まる可能性もまだ秘めています。

自動運転タクシーに対しての安全性を疑問視する声もありますが、運用コストとリスクを天秤にかけるとメリットが現時点では勝るでしょう。いまだ懐疑的な味方をする人が多い自動運転ですが、新しいテクノロジーが社会に浸透するまでの過程において疑われることは避けられません。

馬車に乗り慣れていた人々も、最初のうちはT型フォードに戸惑い、猜疑心（さいぎしん）や不信感を抱いていたでしょう。それでもたった13年のうちに風景は一変しました。サンフランシスコではすでに自動運転タクシーが走っています。東京都も自動運転車が走行するための「自動運転レーン」の先行整備を検討中であることを公表しました。自動運転タクシーに乗って移動する日常は、私たちが思うよりもずっと早くやってくるのではないでしょうか。

◆多様化する次世代マイクロモビリティ

一方で、脱クルマ社会実現へ向けての動きを受けて、自動車やバイクよりもさらにコンパクトで、自転車より手軽なマイクロモビリティが続々現れています。

近年、欧州を中心に都市部でも見かけるようになったのが電動キックボードのポートです。人を介さずアプリで気軽に借りられて、決められた範囲内であれば乗り捨てできるシェアリングサービスは、若い世代を中心に普及しています。

日本でも2022年度から道路交通法が改正されたことを受けて、電動キックボードなどのモビリティに関する規制が緩和(かんわ)されました。国内で勢いがあるのは都内を中心にサービスエリアを拡大中の「ＬｕｕＰ（ループ）」です。アメリカの電動キックボード「ＢＩＲＤ」はすでに世界３００都市以上でサービスを展開しています。

ただし、乗り捨ての自由さから放置につながってしまったり、事故が多発したりするなどの課題もあります。海外の港町では海にキックボードが放置される事例が相次ぎ、使用者のマナーが問題となっています。

また、免許不要な一人乗りのマイクロモビリティは気軽な反面、路面の影響をダイレクトに受けやすく、転倒や衝突したときの危険性は場合によってはバイク事故の衝撃に近いものがあります。安全性の確立と交通ルールの共有・徹底が今後のマイクロモビリティの課題でしょう。

◆セグウェイはなぜ失敗したか

マイクロモビリティの未来を考えていく上では、次世代モビリティの先駆けでありながらも、電動キックボードの勢いに押されるようにして2020年に生産終了に追い込まれた立ち乗り式電動二輪車「セグウェイ」の事例から学べることが多くあります。

2001年に発表された際はスティーブ・ジョブズが「パソコンをしのぐ発明」とまで絶賛したセグウェイでしたが、普及に至らなかった背景には3つの敗因があります。

ひとつは、1台100万円前後という高価格であること。スクーターが10万円少しで買える状況下で、その10倍以上するセグウェイを買う理由を持つ人はそうそういません。

ふたつ目は、公道を走れなかったことです。多くの国では公道での走行が順次可能になりましたが、日本では実証実験という形でしか許可されず、一般個人はセグウェイで公道を走行できなかったのです。そのため、空港警備などの業務用にとどまり、使用範囲が広がりませんでした。

しかし、何よりも大きな決定打となったのはセグウェイ社のオーナー本人が、セグウェイ試乗中に崖から川に落ちて死亡してしまったニュースでしょう。セグウェイは安定性のために重心を下にした構造になっていますが、その重さゆえに操作性が悪いことで知られていました。セグウェイのオーナーがセグウェイを試乗中に転落死したという事実が、皮肉にもそうした評価を決定づけてしまいました。

セグウェイはイノベーションの方向性としては正しく、またテクノロジーとしても最先端のものを詰め込んでいた発明品でした。しかし、キックボードなどの代替品が多く出てくるなかで社会に受け入れられ、広く使われるまでの形にはできなかった。これがセグウェイの敗因であり、ここから学べる教訓をどう活かしていくかが今を生きる私たちの課題といえるでしょう。

◆ドローンで血液パックを緊急輸送

もうひとつの次世代モビリティとして、実用化に向けて試行錯誤の最中にいるのが「空飛ぶクルマ」です。

２０２５年に開催予定の大阪・関西万博においても、「空飛ぶクルマ」の実現に向けた取り組みが企画の目玉として報道されていますが、人が移動する手段として空の移動に需要があるかというと、現時点ではそこまでないでしょう。

空飛ぶクルマの学会ＶＦＳ（Vertical Flight Society）に登録されているｅＶＴＯＬ（イーブイトール：広い滑走路を必要とせず、垂直離着陸が可能な電動機）は６００モデルを超えていますが、ヘリポート経由でｅＶＴＯＬに乗って移動する層は、まだごく一部の大企業の経営者や富裕層に限られています。

ｅＶＴＯＬの登場によって空の移動価格は以前より安くなったといわれているものの、そこまでして時間短縮のために空を移動する必要性はない、という人のほうが大半であるためニーズがまだないのです。

では、人ではなく荷物の移動、航空輸送であればどうでしょうか。

この分野でかねてから注目を集めているのは、シリコンバレーから東アフリカのルワンダに進出したZipline（ジップライン）です。ジップライン車は高速ドローンを使って血液や医薬品を輸送する医療品配送事業を手掛けるスタートアップ企業で、現在は3ヵ国に拠点を持ち、ドローン物流商業化に成功しています。

ジップラインの事業はシンプルです。まず各地の病院から依頼が届くと、血液パックなどの医薬品を積み込んだ飛行機型ドローンが発射されます。最高時速100キロメートルの高速ドローンが病院上空に到着すると、パラシュートを付けた医薬品ボックスをゆっくりと投下させ、医療者の手に渡るというシステムです。

ドローンの飛行経路はあらかじめプログラムされているため、空輸を終えたドローンは自動的にUターンして再び発着拠点に戻ってきます。

◆一般家庭へのドローン配達はいつ？

ジップラインのこのサービスによって、従来は2時間ほどかかっていた血液パックの配送時間はわずか15分ほどに短縮されました。一刻を争う救急医療の現場において、これは大きな価値があることです。現在は1日1000回以上も医薬品が空輸されているといいます。

血液パックや医薬品は重量が軽いため、ドローンで運びやすいという利点があります。基本的には陸上の輸送網のほうがコストは低いため、高速ドローンのスピードと緊急性の高さがマッチした点も成功のポイントでしょう。

日本でもジップラインの配達サービスが始まっています。ジップラインに出資している豊田通商は、2022年4月から長崎県の五島列島でジップラインのドローンを使った医薬品の配送サービスを開始。離島の医療機関や薬局に都市部からドローンで医薬品を届けていく予定です。離島が多い日本では、今後こうしたニーズはさらに高まっていくかもしれません。

ただし、一般の宅配便においては空から荷物を配送する必然性がほとんどありません。アマゾンもドローン配達の実用化を宣言していますが、一般家庭への配達はいまだ課題が山積みです。何十台ものドローンを飛ばして自動制御していく方法と、配達員が一人ひとりマンションの各階を回っていく方法、トラブルやリスクの可能性も含めてどちらのコストが勝るかといえば、現状では後者です。

個人宅であっても広い庭でもない限り、ドローンで荷物を落下させることは難しいため、日本での普及はさらにハードルが上がります。

◆宇宙経由で移動する時代が来る

空のさらに上、宇宙空間を活用した移動についてもさまざまな試みが先行しています。注目されるものの中には、宇宙旅行ではなく宇宙「経由」の移動があります。

イーロン・マスク氏が率いるスペースXは、宇宙経由で地球上の各地を約1時間以内に移動できるサービスを計画中です。東京からニューヨークまでの飛行時間は13〜14時間ですが、ロケットで宇宙空間にまでいったん出てしまえば空気抵抗が少なくなるため、50分ほどでニューヨークに到着できてしまうのです。13時間が50分になるわけですから、既存のジェット機より格段に時間が短縮できることは言うまでもありません。

もちろん、費用と安全性の問題がありますが、もしもこれが実現すれば１００万円を払ってでも50分で行きたいと希望する顧客は出てくるでしょう。

レジャーとしての宇宙旅行も着々と現実味を帯びてきています。スペースXやブルーオリジンなどの民間企業の参入によって、再利用可能なロケットの開発が進み、ロケットの発射コストは大幅に下がってきています。かつては一回打ち上げるのに70億〜１２０億円程度のコストがかかっていましたが、再利用が可能になったことで打ち上げコストは半額以下に抑えられたといわれています。

これもまた、宇宙ロケットによる価格破壊というイノベーション事例のひとつでしょう。このまま順調にコストが下がり続ければ、近い将来には100万円台の費用で誰もが宇宙旅行を実現する未来が待ち受けているかもしれません。

ツイッターの買収劇やテスラのトップとしての顔が取りざたされることが多いイーロン・マスク氏ですが、彼の情熱が最大限に注ぎ込まれているのはむしろ宇宙輸送を行なうスペースXのようにも見えます。

◆なぜ民間企業が宇宙に続々参入しているのか

モビリティのテーマからは少し逸れますが、近年になって民間企業の宇宙事業参入が相次いでいる背景についても知っておいたほうがいいでしょう。

要因のひとつは、米ソの冷戦が落ち着いたことです。

かつて宇宙開発は国家の威信を賭けた戦いの場でした。スペースシャトルの打ち上げ合戦も国際宇宙ステーションの建設も、アメリカと旧ソ連のどちらが先かを競い合う国際政治のステージの場であり、軍事利用もまた目的のひとつでした。

1961年にソ連が人類史上初の有人宇宙飛行を成し遂げた翌年には、負けじとNASAの米国人宇宙飛行士が初めて地球を周回し、その後もアポロ11号の月面着陸に至るまで、両国は競い合うように宇宙船を打ち上げる開発合戦を繰り広げてきました。そこに民間企業が入り込む余地はほとんどなかったのです。

しかし1991年にソ連が崩壊して以降は、事業参入の障壁が少しずつ低くなっていきました。人工衛星の種類も多様化が進み、人工衛星を利用したサービスも増加しました。先ほどのスペースXは、ウクライナ侵攻でも活用された衛星経由のインターネットサービス「スターリンク」を運用しています。日本でも小型ロケットが打ち上げられ、ソニーやホンダなどの大手企業が続々と参入。最近ではNTTとスカパーJSATが宇宙事業を推進する新会社「Space Compass」の設立し、人類初とされる宇宙データセンターの実現に向けて動き出しています。

民間企業の参入は政府にもメリットがありました。低コストでロケットを打ち上げられるのであれば、それに越したことはないからです。

NASAは2021年に、月面に着陸するための「有人着陸システム（HLS）プログラム」の契約先として、3社の候補からスペースXを選定するなど、官民一体となって宇宙を目指す時代が到来しています。

また、日本の民間人として初めて国際宇宙ステーションに滞在した前澤友作（まえざわゆうさく）氏のように、成功した実業家たちが宇宙への関心を示したことで資金が流れ込み、開発スピードを加速化させている側面もあります。スペースXと並んで語られることが多いブルーオリジンのオーナーはアマゾンの創業者ジェフ・ベゾス氏であり、宇宙旅行ビジネスを行なうヴァージン・ギャラクティック社はヴァージン・グループの会長が設立しています。

このあたりの構造は、第6章で紹介する日本の携帯電話業界がたどった歩みともよく似ています。

NTT（旧電電公社）が国内の電話事業を独占していた時代は、ライバルが不在だったため、コストを下げる必要もサービスを充実させる必要もありませんでした。インセンティブがないからです。

しかし、通信自由化に伴って多彩なプレイヤーが続々と新規参入してきたことによって、各社はさまざまな手段を用いて自分たちのサービスの優位性をアピールし、いかに効率化して顧客を獲得するかを真剣に考える必要に迫られました。これと同じことが今、宇宙事業開発の現場でも起きているのです。

そこへイーロン・マスク氏やジェフ・ベゾス氏のようなブランド戦略と市場原理を知り抜いている人たちが参入しているのですから、宇宙開発のスピードは２０２０年代にさらに加速していくでしょう。

◆宇宙覇権争いの先に何が得られるのか

宇宙開発に関していえば、中国の存在感も無視できません。

２０２１年には55機のロケットを打ち上げ、火星探査機の着陸にも成功しています。年間の打ち上げ数は世界最多であり、習近平(しゅうきんぺい)国家主席による「中国は惑星探査の分野で世界の先頭集団に入った」という発言も決して大げさではありません。中国は今やアメリカと肩を並べる宇宙開発のトップランナーに成長しているのです。

その象徴ともいえるのが独自の「天宮号(てんきゅうごう)宇宙ステーション」の建設です。２０２２年4月には女性を含む3人の宇宙飛行士を乗せた有人宇宙船「神舟(しんしゅう)13号」が半年間のミッションを終えて地球に帰還しました。２０２２年中の宇宙ステーション完成に向けて着々とラストスパートの段階に入っています。

中国は独自のテクノロジーで強いわけではありませんが、ハードウェアなどを改善する手法には長けており、ソフトウェアを制御するレベルも極めて高いといえます。

宇宙開発がもたらすベネフィットとビジネスチャンスはさまざまありますが、安全保障上の理由が大きいでしょう。

宇宙に拠点を持つことができれば、相手の国が丸見えになります。日本のベンチャー「スペースシフト」のように農地の衛星情報データをナイジェリアの農家向けに活用したりするならばよいのですが、上空からの探査や偵察、情報の遮断、敵国であれば攻撃も可能になるでしょう。ロケット技術は大陸間弾道ミサイルに転用できます。もちろん、領空における権限には国際協定がありますが、宇宙空間は比較的無法地帯です。他国の戦闘機が領空を侵犯すれば日本では自衛隊がスクランブル発進しますが、それより上の宇宙空間であれば現状は発進できません。

その意味では、宇宙空間はまだ「先に行った者勝ち」の側面がある物理的エリアであり、中国が宇宙を目指すのも国際競争力の強化が狙いなのでしょう。

◆火星への旅費を現実的に考える

何のために、どこへ行くのか。どんなものに乗って。

この順番通りである必要はないですが、乗り物、モビリティの存在意義はそこに尽きるでしょう。辻馬車がタクシーのシステムをつくり、自動車が馬車と置き換わり、誰もが一人一台の自動車を持てる時代が長く続きました。

その時代がもたらした環境汚染を食い止めるためにEV車のニーズが上昇し、脱炭素の文脈からもマイクロモビリティをはじめとした多種多様な乗り物が登場しました。スマートフォンの普及に後押しされてシェアリングサービスが拡大したのと並行し、自動運転のタクシーやトラックも走り始めています。

ドローンによる輸送システムも今後さらにブラッシュアップされながら各地で発展し、いずれは宇宙を経由して地上を移動できるサービスも登場するかもしれません。

イーロン・マスク氏は、スペースXの使命を「人類を多惑星種（Multiplanetary Species）にする」ことである、とかねてより豪語しています。地球だけではなく、火星などの他の惑星にも移住できるような種になることを人類が目指す、という意味です。この壮大なビジョンを現実に変えるため、いかにして火星までの交通コストを下げられるかが今後の課題でしょう。

◆モビリティ業界は100年に一度の転換期にある

他の道具と同じように、モビリティも時代の変化に応じて今後も大きくその形と役目を変えていくでしょう。MaaS（マース：Mobility as a Service）という概念が登場したように、現代を生きる人々にとってモビリティはもはやたんなる移動手段ではありません。電車、タクシー、バス、レンタカー、カーシェア、電動キックボードなどのさまざまな交通機関をシームレスに組み合わせて最適なルートを選び、ひとつのサービスとして提供する次世代の交通プラットフォームも現れています。

ちなみに、日本のMaaSレベルのほとんどが5段階のうちレベル1ですから、今後は伸びしろが大きいのです。もちろん、その過程では大気汚染などの環境問題にも貢献する視点が必要になってくるでしょう。

アメリカのグーグルマップでは運転経路を検索すると、交通量データと道路の傾斜などから、CO_2排出量が最も少ない＝環境に優しいと推定されるルートを案内するサービスが2021年から各国で順次開始しています。エコフレンドリーなルートを提案してくれるナビゲーションサービスは、今後もますます増えていくでしょう。

自動車から次の形のクルマへと、モビリティは100年に一度と言われる大きなイノベーションに直面しています。人々の生活や産業の発展に貢献してきたモビリティの変容と、それらがいかにルールを設定し、社会実装されてきたかの経緯をたどり直して把握することは、イノベーションとは何かという本質を探る上でも非常に役立つはずです。

第5章

エネルギーの過去・未来

◆エネルギーの発見と活用が人類を発展させた

人類の発展を支えてきたエネルギーのイノベーションを知る前提として、人類とエネルギーがどのように歩んできたかを知っておくと理解が進みます。まずはそれぞれの時代背景とともに、エネルギーの歴史を簡単に振り返ってみましょう。

人類とエネルギーの歴史の出発点は、火の発見だったと考えられています。

噴火や落雷などの自然現象を通じて火の存在を知った人類は、二足歩行で自由になった手を使って火のおこし方を知り、それを利用する術（すべ）を学んできたのでしょう。素手だけでは火をおこせません。おそらく何らかの事象から火が発生するさまを見て、道具となるものを探し、試行錯誤しながらその技術を身につけたものと考えられます。

火は身体を温（あたた）め、灯りや武器にもなり、獲物を焼いたり煮たりする際にも有用でした。こうした技術を覚えたことが、人類の種としての生存確率を上げたことに疑問の余地はないでしょう。こうして、火は人類にとって初めての体外のエネルギー活用となりました。この過程もまた、原初のイノベーションの形といえるかもしれません。

やがて中世になると、水や風が新たな動力源として活用されるようになります。水や風の力を活かす装置として水車や風車が発明され、自然の力をエネルギーに変えることで、それまで人力で行なっていた作業が楽にできるようになりました。

◆これまでの産業革命の起点はエネルギー革命だった

18世紀に入ると化石燃料の時代がやってきます。

ジェームズ・ワットが石炭を燃料とする画期的な発明「蒸気機関」を世に送り出したことによって、石炭が新たな動力源として本格的に活用されるようになりました。

蒸気機関がもたらした機械を動力源とした回転（モーター）運動によってエネルギーが生み出され、紡績工場や織物工場、製鉄所の生産力が格段に上昇し、産業革命の時代へと突入していきます。石炭と蒸気機関を組み合わせて動力に変えたことで、エネルギー革命が引き起こされたのです。

これが人類とエネルギーの歴史を飛躍的に発展させた、最初のイノベーションとなりました。

やがて蒸気機関の仕組みを活かして蒸気船や蒸気機関車も生まれ、輸送システムも発展し、交通革命がもたらされたことによって社会も大きく変わっていきました。

さらに19世紀初頭にはイタリアの物理学者アレッサンドロ・ボルタによって電池が発明され、電気という新たなエネルギーが発展していきます。

19世紀後半にはオーストリアの電気技師であったニコラ・テスラが、交流電流のモーター装置を開発します。これをもとにした発電・送電のアイデアがのちに一般家庭にも電気を送れる仕組みにつながっていきました。

ちなみにEVメーカーの代名詞ともなっている「テスラ」の社名は、ニコラ・テスラに敬意を表して付けられたものです。

◆20世紀のエネルギーは石油が主役に

20世紀の半ばになると、エネルギーの主役の座は石炭から石油へと次第に交代します。中東やアフリカで大油田が相次いで発見されたことから、石油は潤沢な資源として世界中に供給されていきました。

石油の特長は、石炭と比べると運搬しやすく、利用用途が格段に幅広い点です。ガソリンや軽油などの燃料はもちろん、暖房用の灯油、ナイロンやポリエステル、アクリルなどの化学繊維、そしてプラスチックなどの石油化学製品の原材料としても、石油は広範囲にわたって利用されるようになりました。

日本においても高度経済成長期に入ると、大衆車が登場したことによってマイカー時代が幕を開けます。自動車製造が国の基幹産業となり、一家に1台が合言葉となってガソリンの需要はさらに高まっていきます。原油の受け入れ施設、原油を石油に精製する工場、関連企業などの各種工場が結びついた石油コンビナートが建設されていきました。安価な石油を大量に輸入していた日本では、一次エネルギー国内供給の75・5パーセントが石油に依存していたほどです（1973年度）。

このように生活を支え、産業と経済を成長させるエネルギーとして、石油は重要な役割を果たしてきました。大衆の生活の豊かさはエネルギーの消費量と比例して右肩上がりに伸び続け、2030年には世界のエネルギー消費量が1990年の約2倍に達すると予測されていました。

◆石油依存がもたらしたショック

しかし、1970年代になると2度のオイルショック（石油危機）が起きたことで世界中に大混乱が引き起こされます。中東の産油国での政情が不安定になったことによって、原油価格が高騰したのです。エネルギーの8割近くを輸入の原油に頼っていた日本でも、ガソリン価格が跳ね上がり、物価は瞬く間に上昇。トイレットペーパー買い占めなどのパニックが各地で発生し、庶民の生活は大混乱します。第一次オイルショックの直後に、日本経済が戦後初のマイナス成長となったことも政府に衝撃を与えました。

単一のエネルギー源、しかも海外から輸入する化石燃料に依存することのリスクを学んだ日本政府は、これを教訓としてエネルギーの安定供給に関する方針を変更します。

1973年には資源エネルギー庁を設立。石油への依存度を下げて、天然ガスや再生可能エネルギーなど、エネルギー源の多様化を進めていくためにさまざまな対策を打ち出していきます。

そこで注目が集まったのが、20世紀を代表するもうひとつの革新的なエネルギーである原子力でした。

◆夢のエネルギーになるはずだった原子力

他のエネルギーと比べると、原子力は功罪の両面があまりに大きすぎるがゆえに、特異な経緯をたどってきたエネルギー源です。

1907年、理論物理学者のアルベルト・アインシュタインが、特殊相対性理論から導いた〈$E = mc^2$〉という美しい方程式を発表します。Eはエネルギー、mは質量、cは定数（光の速度）を意味しています。ほんのわずかな物質にも膨大なエネルギーが秘められていることを意味するこの式は、まさしくエネルギーの革命でした。

それ以前にも多くの科学者の発見を通じて原子の構造や性質は徐々に解き明かされていましたが、アインシュタインの発表から約30年後、ウランの核分裂によって膨大なエネルギーが出ることが証明されます。

この膨大なエネルギーの活用について、真っ先に検討されたのは軍事分野でした。核分裂の連鎖反応を利用すれば、すさまじい威力の爆弾が製造できることに気づいたアメリカ政府は、1942年から原子力爆弾製造のための極秘計画、のちに「マンハッタン計画」と呼ばれるプロジェクトを始動させます。

その後、広島と長崎に原爆が投下され、十数万人もの甚大な犠牲者が出たことは、日本人であれば誰しもが知っていることでしょう。

一方で、1950年代に入るとアメリカは原子力の軍事利用と並行して平和利用も推進する方針を打ち出します。

また、自国のエネルギー資源が乏しい日本やフランスのような国は、オイルショックをきっかけに原子力の大規模開発によってエネルギー源を確保していく戦略に踏み切ります。

◆チェルノブイリ、福島の原発事故を経て

しかし、1979年にはスリーマイル島の原子力発電所（原発）で、1986年には旧ソビエト連邦（現ウクライナ）にあるチェルノブイリ原発で、大規模な事故が発生しました。とくに、チェルノブイリ原発の事故は33人の死者を出し、放射性物質が大規模に流出して土地を汚染し、数百万もの人々の健康と生活に被害を与えました。国連はこの事故を「人類の歴史上、もっとも深刻な環境破壊」と評し、エネルギー源としての原発のリスクが桁違いであることを世界に印象付けました。

これらの事故をきっかけに、1980年代には脱原発を表明する国民の声を受けて、各国の原発利用は停滞します。石油をはじめとするエネルギーの資源価格が安定していたことも、この流れを後押ししました。

◆「脱炭素」という革命

しかし、20世紀後半になると、エネルギーによって産業を拡大することが地球環境を悪化させる大きな原因になっている事実が明らかになります。

ガソリンで走る自動車の排気ガスは、大気汚染と地球温暖化を引き起こし、気温の上昇や異常気象を招きました。工場などで使われている有害物質や廃棄物が漏れ出すことで土壌が汚染され、公害問題へと発展しました。

石油を原料とするプラスチックはリサイクルされることなく大量にゴミとして海に流れ込み、非分解性の物質であるがゆえにそこに住む生物の生態系に影響を与えています。スリランカのゴミ投棄場では2頭の象が死んでいるのが見つかり、その体内からは大量のプラスチックが出てきました。森林伐採によって住む場所を失った象たちが、ゴミ投棄場に集まってきたものと考えられています。

人間が発展のために行なってきた生産・消費活動によって、大気も地上も海洋にまでも悪影響が及んでいるのです。

そもそも、石油や石炭、天然ガスなどの化石燃料は、その名の通り「化石」です。

何億年も前に地球上にいた植物やプランクトンなどの死骸が土中や海、湖の底にたまり、バクテリアなどによって分解されたあと、地熱で温められるなどして燃えやすい成分に変化したものが化石燃料です。その中で岩石状のものが石炭、液体として採掘されるものが石油、気体として汲み上げられるものがシェールガスなどの天然ガスと呼ばれているものになります。

しかし化石燃料は無尽蔵に湧いてくる資源ではなく、当然ながら埋蔵量には限りがあります。いくら便利でも有限であり、さらに燃焼させるとCO_2やメタンなどの温室効果ガスが排出され続けます。それによって気温が上昇し、生態系に影響を及ぼし、異常気象などの気候変動を招いています。

もはや経済効率性だけを理由に、石油や石炭を無制限に使える状況ではなくなっていることは自明の理でしょう。遅かれ早かれ、私たちは石油をはじめとした化石燃料に依存する社会構造から脱却しなければならないのです。

◆ESGが企業経営の必須条件に

こうした共通認識に立った国際社会は、２０１５年のパリ協定を契機に二酸化炭素の排出量を実質ゼロにする「脱炭素」社会に向けて大きく舵を切りました。環境への配慮があるものへとエネルギーの切り替えを進めていくことが求められるようになったのです。

危機意識を持ち始めた先進国は温室効果ガスの排出削減に向け、ガソリン車の規制に動き出しました。日本政府も2035年までには純ガソリン車の新車販売をゼロにする方針を打ち出してします。

このような流れを経て、収益さえ出せばよかった時代は完全に終わりを告げ、企業にも社会的責任と公益性が求められる新時代が到来しました。

そこで誕生した新しいキーワードがESGです。

環境（Environment）、社会（Social）、ガバナンス（Governance）の頭文字を合わせたこの言葉は、持続可能で豊かな社会の実現を目指すためのキーワードとして一躍世に広まりました。

これら3つの非財務情報は、いずれも高度経済成長期にはあまり顧みられることがなかった視点です。しかし、現在ではESGに取り組まない企業は、気候変動や環境汚染に悪影響を与える存在として認識され、ESGを重視する投資家からは、投資候補から敬遠されます。売上高や利益といった財務指標だけではなく、環境や人権に配慮しながら健全に活動を行なっている企業かどうかを消費者も投資家も厳しい目で見ています。

一方で社会のあらゆる場面がコンピュータシステムによって制御されるようになった2000年代以降は、電力消費もあることからエネルギーの重要性がますます高まっています。

火力、原子力、太陽光、風力、地熱、潮力、水素などの選択肢の中から、何を電源としてどう電気をつくれば温暖化を食い止めることにつながるのか、という視点に重きが置かれるようになりました。

◆各国で異なるエネルギーミックスの配分

そして現在、ESGという新たな視点が登場したことで、各国のエネルギー政策においても再び原子力発電が選択肢に浮上しています。

いずれは化石燃料から太陽光・風力・地熱・中小水力・バイオマスといった再生可能エネルギーにシフトするにしても、移行期を乗り越えるにあたっては、発電時にCO_2を排出しない原子力発電が有効である、という考えに基づいてのことです。

大事故のリスクや放射性廃棄物の処理などの深刻な問題は抱えているものの、原子力発電は低炭素であり、かつ政情や気候条件などに左右されない安定したエネルギー源でもあります。

　２０１１年に起きた東日本大震災と福島第一原発の事故は、チェルノブイリ原発事故以来の世界的な脱原発の気運を高めましたが、脱炭素の流れを受けて再び状況は変わってきています。

　２０２２年の年明け早々に、欧州連合（ＥＵ）の行政を担う欧州委員会は、「原子力発電を地球温暖化対策に役立つエネルギー源だと位置づける」という方針を発表しました。低炭素である原発エネルギーの活用はＥＳＧの条件を満たしている、という解釈です。２０２２年中の脱原発を目指すドイツをはじめ、オーストリア、デンマークなどはこれに反対しましたが、原発が発電量の約7割を占めるフランスは賛成を表明しました。各国の抱える事情によって賛否が分かれています。

　日本では福島第一原発事故のあと、国内の原発はすべて運転を停止しましたが、現在は大飯（関西電力）、高浜（関西電力）、川内（九州電力）、伊方（四国電力）の4つの発電所で原発が再稼働しています。

　エネルギー資源がほとんどなく、国土も狭い日本においては、再生可能エネルギーを主力電源にするにはまだまだ難しいのが実情です。中国が太陽光発電のマーケットで圧倒的な強さを発揮しているのは、太陽光パネルを大量に設置できる広大な国土があり、また日照時間が長いエリアを有しているという優位性があるからです。

また、ロシアのウクライナ侵攻を受けて、ロシア産の石炭や原油、天然ガスの輸入禁止措置を取った国も少なくありません。オイルショックのときと同じように、特定のエネルギー源への依存はリスクが高いことがまたしても証明されたわけです。

世界で唯一の被爆国であり、また福島第一原発事故の記憶がまだ生々しく残る日本において、原子力発電はどうしても忌避（きひ）されがちです。しかし、このような背景を踏まえ、「より低炭素なエネルギー源」という視点に立てば、今の段階で原発が選択肢となること自体は冷静に考えなければなりません。

化石燃料の時代が終わりつつあることは明白ですが、それは来週すぐにやってくるわけではありません。脱化石燃料というゴールまでの短くはない過渡期を、どのようにバランスよくエネルギーをさまざまな方法で補っていくかが各国の課題といえるでしょう。

◆ビル・ゲイツ氏が取り組む新たな原子力イノベーション

脱炭素のムーブメントを追い風に原発回帰の流れが起きるなか、原子力という非常に取り扱いが難しいエネルギー産業において、新たなイノベーションを起こそうとしているのがアメリカのスタートアップ企業テラパワーです。

マイクロソフトの創業者であるビル・ゲイツ氏が創設したテラパワーは、次世代原発と呼ばれる小型ナトリウム原子炉「Natrium」の開発を現在進めています。従来のように水で原子炉を冷却してきた軽水炉とは異なり、「ナトリウム冷却型」と呼ばれるこの原子炉は液体ナトリウムを冷却材として用いることで、高温になっても内圧を低く保てるため、事故時の安全性が高いとされています。また、使い終えたウラン燃料から取り出したMOX（モックス）燃料を使うため、世界的に余剰になっているウラン資源のリサイクルになることも大きなメリットといえるでしょう。従来の原子炉のような大型設備ではないため、建設コストも大幅に抑えられるというのがゲイツ氏の主張です。

慈善事業家としても知られるゲイツ氏ですが、小型ナトリウム原子炉の開発は慈善事業ではなくれっきとしたビジネスです。そこに商機を見出したからこそ、数千億円もの巨額の私財をテラパワーに投じたともいわれています。

クリーンなエネルギーは持続可能な社会のために必要不可欠ですが、現時点では再生可能エネルギーだけでは到底まかないきれません。貧困と気候変動を解決するための手段として、「原子力が不可欠のツール」であり、再生可能エネルギーとは共存しうるエネルギーなのだということをゲイツ氏は語っています。

テラパワーはアメリカのワイオミング州にある2025年に閉鎖予定の石炭火力発電所の跡地に、ナトリウム冷却型原子炉の初号機を建設することを発表しています。総工費40億ドル（約4600億円）のうち半分をアメリカ政府が公的資金を投入して支援し、2028年の操業開始を目指しています。石炭火力発電所と入れ違いで次世代の原子力発電所が設置されるという構造も、時代の変遷を象徴しています。

2022年1月にはテラパワーと米エネルギー省の高速炉開発計画に、日本の国立研究開発法人日本原子力研究開発機構（JAEA）、三菱重工業、三菱FBRシステムズの3社が参加することが発表されました。日本側としてはすでに廃炉が決まった高速増殖炉もんじゅのデータや過去の知見などを提供することで、近い将来の次世代の原子力技術導入を見越しているのでしょう。

２０２８年に計画通り、テラパワーの小型ナトリウム原子炉「Natrium」の操業が始まれば、２０３０年頃にはエネルギー業界でゲームチェンジが起きる可能性も十分にあるかもしれません。

◆もうひとつの次世代型「小型モジュール炉」

ナトリウム原子炉とは別に、次世代原子炉として注目を集めているのが小型モジュール炉（ＳＭＲ）です。これはその名の通り、小型の原子炉のことです。小型化することでより冷えやすくなるため、安全性が向上し、コストも削減されるメリットがあります。また、小型のモジュール（組み立てユニット）を大量に生産して建設予定地までトラックなどで輸送、現地で組み立てる構造のため建設コストも安く上がり、大型炉の建設が難しい新興国で採用しやすい点でも有利です。

小型モジュール炉の開発で先頭集団を走っているのは、アメリカのスタートアップ企業ニュースケール社でしょう。

テラパワーと同じくニュースケールもアメリカのエネルギー省から支援を受けながら開発を進めており、アイダホ国立研究所の敷地内で同社製の小型モジュール炉を建設し、２

029年からの運転開始を目指しています。

日本国内の使用済み核燃料処理事業などに携(たずさ)わってきた日揮ホールディングスも、小型モジュール炉の将来的な市場拡大を見込んで2021年には同社に4000万ドルを出資。今後は小型モジュール炉プラント建設プロジェクトに参画し、共同開発を行なうことを表明しています。

ニュースケールは、小型モジュール炉をルーマニアに導入する計画を同国政府と共同で進めることを2021年に発表しています。

また、ポーランド、エストニアなどの東欧諸国や、ヨルダン、サウジアラビなどの中東諸国、インドネシア、韓国などでも小型モジュール炉の導入が検討されています。イギリス、ロシア、カナダ、中国などの民間企業でも、小型モジュール炉の開発が進行中です。

ここに来て各国が続々と小型モジュール炉の導入に踏み切っているのは、パリ協定において120以上の国と地域が2050年までに温室効果ガスの排出量を実質ゼロにする「カーボンニュートラル達成」という目標を掲げているからです。ニュータイプの原子力発電は、カーボンニュートラル達成を実現するために最も有力、かつ現実的なエネルギー源になりうると多くの国々が判断していることが窺えます。ただ、安全保障としては標的が増えることには注意をしなければなりません。

◆蓄電技術のイノベーションに期待

火力、水力、風力、再生可能エネルギー、そして原子力。今、世界で議論されているのは「エネルギー源をどれにするか」という問題ですが、いずれであっても大きな役割は「電気」をつくることです。発電所でつくられた電気は、送電線を通じて一般家庭へと届けられます。電気がなければ冷蔵庫も洗濯機も使えず、スマートフォンやタブレット、パソコンの充電もできず、通信もできなくなります。現代人の暮らしを成り立たせるためには、電気は必要不可欠なのです。

しかし、電気というエネルギーは大規模になるとためることが難しいのです。大手電力会社の料金が昼と夜で異なるのは、夜間の電気が余っていてもためておくことが難しいからです。

では、発想を変えてみましょう。

電気をためておき、自由に出し入れできるようになれば？　すなわち蓄電技術の世界でイノベーションが起きれば、持続可能な未来の実現へとまた一歩近づくのではないでしょうか。

そうした流れを踏まえて考えると、次なる可能性を秘めているのが蓄電池ではないかという見方があります。

◆規格外にユニークな電気運搬船

2021年3月に設立されたばかりのパワーX社は、「自然エネルギーの爆発的普及のために、つくる、ためる、運ぶのすべてをデザインする」という事業ミッションを掲げているスタートアップ企業です。

CEOを務める伊藤正裕（いとうまさひろ）氏は、ZOZOの元COOとして「ゾゾスーツ」などのプロダクトを開発したテクノロジー部門のトップだった人物です。

パワーXが思い描くビジョンは非常にユニークです。自社で開発した船にコンテナ型バッテリーを複数載せ、海を走行させることで洋上風力によってつくられたクリーンな電力をバッテリーに直接蓄電し、船で運搬する。これまでのように電力を生み出す燃料を運ぶのではなく、電気そのものを運ぶのです。

送電線もコストのかかる海底ケーブルも使用せず、海洋上で風の力によって電気をつくるため、CO_2も排出しません。初期投資額の負担は重いものの、太陽光パネルのように広大な土地も必要としません。環境への影響も最小限に抑えられます。災害時の医療現場への電力確保の手段としても期待できるでしょう。

国土面積がコンパクトな上に平地が少なく、かつ四方を海に囲まれている島国・日本は、洋上風力と非常にフィットする可能性を秘めています。

第1号となる電気運搬船は2025年の完成を目指しており、現在はもうひとつの事業の柱である蓄電池工場の事業展開を控えているそうです。今後はEV車の需要拡大を見込んで、EV車用急速充電専用の電池をはじめ、グリッド用や船舶用の電池の製造・販売を行なっていくとしています。

◆ソフトバンクも次世代電池の開発へ

これに近い発想で最先端を行くのはテスラのソーラー事業です。

EVメーカーとして有名になったテスラですが、EV車には充電が欠かせません。テスラは一般家庭向けに屋根に取り付けて太陽光の力で発電するソーラールーフと、そこでつくられた電力をバッテリーに蓄積する家庭用システムも販売しています。

このソーラーシステムの最大のポイントは、iPhoneアプリで自宅のエネルギーの流れを管理できることでしょう。電気代が高い昼間はバッテリーに蓄電した電気を使い、電気代が安くなる夜間は通常の電力会社の電気を使う、というように予測ソフトウェアを使えば有効に使い分けられる機能も付けられています。地球環境に負荷をかけないクリーンなテクノロジー、クリーンテックは今後ますます進んでいくでしょう。

ソフトバンクも2021年に「次世代電池Lab.」を設立し、「次世代電池」の開発に向けて動き出しました。

現在の主流になっているリチウムイオン電池ですが、目まぐるしいスピードで進化を続けるデバイスを支えるために、質量エネルギーの密度が高く、軽量・安全で寿命が長い次世代電池の研究・開発を目指します。

高密度で軽い電池が誕生すれば、それを各業界の機器や製品に搭載することによって新たなイノベーションもきっと刷新されるはずです。

◆日本は再生可能エネルギーと相性が悪い？

前述のパワーXの着眼点は非常にユニークですが、裏を返せば日本において現状の再生可能エネルギーを普及させていくことがいかに困難か、という現実も浮かび上がってきます。

偏西風が安定的な風量、ならびに発電量をもたらすヨーロッパとは異なり、山間部が多い日本では一部の地域でしか風向きが安定しません。太陽光発電についても梅雨や雪の日には発電量が低下します。台風が頻発する点も風力・太陽光発電ともにリスクになります。

端的に言えば、再生可能エネルギーに適した土地が少ないのです。廃棄物を資源として活用するバイオマス発電も、循環型社会というコンセプトには合致しますが、安定した燃料を確保することの難しさや、発電コストの高さから普及が遅れています。だからこそ、日本では洋上風力発電に期待が高まっているというのが実情でしょう。

対して、アメリカ、中国、ロシアのような国土面積が広い国々は、再生可能エネルギーの普及に関しては圧倒的に優位な立場にあります。そういう意味では、国土面積が狭いヨーロッパ諸国が、自分たちに決して有利ではない条件下でグリーンエネルギーを推進している姿勢は、それなりの意味があります。

もちろん、ガソリン車の禁止は自動車産業で世界のトップを走っていた日本には不利な条件です。チェルノブイリ原発事故の記憶やノブレス・オブリージュ（高貴なる者の責任）の意識も一部影響しているはずです。しかし、欧州全体として目指すべき方向性はブレずに一致しているように見受けられます。そのための具体的なテクノロジーの道筋を、各国がそれぞれに模索している最中なのではないのでしょうか。

◆古着やミドリムシを燃料に飛行機が飛ぶ

パワーXと同じくビジョンの新規性という意味では、２０２１年に東証マザーズに上場した「Green Earth Institute（グリーン・アース・インスティテュート）」にも注目が集まっています。

同社は食料生産と競合しない植物原料や食品残渣を原料としたバイオ燃料開発を手掛ける企業です。国内で回収した古着の綿に含まれるセルロース成分を攪拌して発酵原料とし、日本航空（ＪＡＬ）と共同でバイオジェット燃料に変換する技術を確立しました。古着由来のバイオジェット燃料を従来の燃料と混ぜて使ったＪＡＬの飛行機が羽田‐福岡間の定期便で使われたことで話題を集めました。

古着由来のバイオジェット燃料は古着の原料回収コストがかかりすぎたため、商用化の予定はないそうですが、今後はサトウキビの搾（しぼ）りかすなどの農業廃棄物を大量に仕入れて、自社の発酵技術を活かしていくそうです。

２０５０年までにCO_2排出量を半減させるという目標を掲げている航空業界にとっても、このような次世代バイオジェット燃料の誕生が切望されていることは間違いありません。

２０２２年4月には、ユーグレナが開発した植物由来のバイオジェット燃料を使った小型航空機が大阪府の八尾（やお）空港を飛び立ち、約1時間のフライトを経て無事に帰還しました。この飛行で使われた燃料は、ミドリムシ由来の油脂や使用済みの食用油を原料としているとしています。まだ普及の段階にまでは至っていませんが、ユーグレナは２０２５年を目標に商用プラントを立ち上げ、生産力の拡大を図ると発表しています。

古着由来のバイオジェット燃料というグリーン・アース・インスティテュートの試みも、コストの問題から持続可能なエネルギー源にはなりえなかったものの、エネルギー負担を下げる試みとして意味があります。

古着などの繊維廃棄物を何らかの資源として活用するアイデアを抱えている起業家は、世界各地にまだまだいるはずです。最新のテクノロジーとアイデアが組み合わされば、近い将来には普及に至る新たな燃料が生まれるかもしれません。

◆大型発電所から小型施設の分散化へシフト

燃料として何を選び、低炭素のルールを破らずに、どのようにエネルギーに変換していくか。その方法は多種多様ですが、一方で「どう組み合わせて使うか」という視点も忘れてはなりません。

オイルショックの例を出さずとも、電力の安定供給のためには複数のエネルギーをミックスして使うことが基本指針になります。これはいつの時代、どこの国であっても変わりません。CO_2をまったく出さず、エネルギー効率がずば抜けて高いエコな発電方法が見つかっても、その1種類に依存するやり方では長期的観点ではリスクが高いからです。

脱炭素社会を実現するための有力な技術として近年耳にするようになったのは、マイクログリッド（小規模電力網）でしょう。大型発電所で大量につくられ、長距離の送電線を使って供給される電力は、供給の過程で多くのロスが生じてしまいます。

それならば小規模な発電施設を一定のエリア内で分散させて設置しよう、という発想から生まれたのがマイクログリッドです。たとえるならば、食品における地産地消を、エネルギー供給においても応用したようなものです。近距離のエリア内で電力を供給するため、電力のロスが減少し、環境への負荷も低減します。

◆エネルギーの流れをキュレーションする時代が来た

もうひとつ、マイクログリッドと並んで広がっているのが、スマートグリッド（次世代送電網）です。

これまでのように供給側が一方的に電力を送り出して余らせたり不足させたりするのではなく、需要側もアプリやソフトウェアなどのＩＴテクノロジーを通じて電気の流れを制御し、再生可能エネルギーも組み込むことで、最適化できるようなスマート（賢い）な電力システムを構築する。つまり、スマートグリッドとはエネルギーの流れをキュレーションすることで効率化する、と言い換えることもできます。電力消費を最適化することは、言うまでもなく脱炭素ともつながっています。

◆燃料も発電方法もインフラもすべてが次世代型へ

このように、エネルギー業界におけるイノベーションの形は、燃料や発電事業の面だけではありません。再生可能エネルギーの普及、そして脱炭素という世界共通の目標をクリアするためには、マイクログリッドやスマートグリッドのような次世代型インフラ整備を通じて、需要と供給のベストバランスを探り、送電量をコントロールすることによって最も費用対効果の高い選択肢を提供していくことも欠かせないでしょう。

また、スマートグリッド実現の延長線上には、トヨタによる近未来都市「ウーヴンシティ」に代表されるスマートシティ構想があります。スマートグリッドを利用したエネルギー管理システムが実用化されれば、街のあり方や私たちの暮らしもさらに大きく変わっていくことが予想されます。スマートシティというのは、ゼロから決まったコンセプトで都市を作るというよりは、徐々に新しいテクノロジーを織り込みながら進化し続けるものなのかもしれません。

脱炭素社会の実現と再生可能エネルギーの積極的な導入に向けて、今後もさらなるイノベーションが求められていくでしょう。

第6章

スマホによる「再定義」

◆固定電話から2G誕生まで

通信におけるイノベーションは、現代を生きる私たちにとって最も身近、かつ大きなインパクトをもたらしました。一家に1台もなく外で掛けるしかなかった固定電話が、どのように進化を遂げていったかを振り返ってみましょう。

近代の「通信」における最初のイノベーションは、固定から携帯電話へのシフトでした。モールス信号で有名なサミュエル・モールスが電信の装置を1838年にデモンストレーションをしたところから始まり、「電話」という通信手段の歴史が始まったのは19世紀後半。イタリアのアントニオ・メウィッチ、ドイツのヨハン・フィリップス・ライス、アメリカのグラハム・ベルなど、各国の発明家がほぼ同時期に電信技術によって通話できる装置を生み出し、「電話機」の創成期に貢献しました。

日本において初の電話サービスが開始したのは1890年。明治時代半ばの日本にとって、電話は近代化を象徴するような新技術のひとつでした。優秀な技術者が次々と入社していきました。当時は交換手にまず話して、本来の通話したい相手に接続してもらわなければならず、交換手は人気職種でした。そして、その料金は、現代の物価に換算して月10万円以上するというもので、大変高く、法人向けから始まっていました。その次に公衆電話が設置されはじめ、個人でも使えるような時代が来ます。しかし、それでも時代はめぐり、昭和初期にはいわゆる「黒電話」が登場しました。戦争を経ての1970年の大阪万博では「未来の電話」モデルとして、日本電信電話公社がワイヤレステレホンを展示して話題を集めました。

「携帯電話」第一世代が登場したのもこの時期です。

1979年、日本電信電話公社は民間用としては世界初となる自動車電話サービスを開始します。これが音声をアナログ変調方式で電波に載せる1G（1st Generation）の始まりです。

1985年には持ち運びできるショルダー型の端末が登場します。しかし、重量は約3キロ、本体価格も通話料金も高額だったため、大企業の社長のようなごく一部の層にしか普及しませんでした。

同年には通信事業が民営化され、海外と比べても高すぎる電話料金に疑問を抱き電電公社出身の千本倖生（せんもとさちお）氏（当時41歳）と京セラ社長の稲盛和夫（いなもりかずお）氏（当時52歳）らが数々の嫌がらせを受けながらも第二電電（現在のKDDI）をベンチャーとして立ち上げたり、家電メーカー各社はファックスやコピーなどの新機能を搭載させ、デザイン面でも洗練された電話機を続々と登場させていきます。

１９８０年代後半から１９９０年代にかけては、一般層における移動通信サービスの先駆けとなったポケベル（ポケットベル）が全盛期を迎えます。

その後、１９９３年にはデジタル方式のシステムを採用した第二世代移動通信方式「２G」が登場します。アナログからデジタルになったおかげで、この時期から急速に普及した携帯電話ではたくさんのデータを送受信できるようになりました。小型になった携帯電話にカメラ機能が搭載され、ショートメッセージ（SMS）のやり取りができるようになったのもこの頃です。

２Gの最大の特徴は、それまではPCからしか接続できなかったインターネットに携帯電話から接続できるようになったことでしょう。パケット通信という概念が生まれ、NTTドコモが「iモード」サービスを始めたのも２Gのステージです。

やがて１９９０年代後半には、PHS（Personal Handy Phone System）から携帯電話への移行が急速に進みました。一方で、当時の携帯電話からのネット接続は、各々のキャリアが指定したコンテンツにしか閲覧できない、つまりキャリアごとに閉じている状態にあったのです。

◆iPhoneが圧倒的勝者になるまで

そして2000年代前半、「3G」と呼ばれる世界標準通信規格が始まると、携帯電話を使ったインターネット利用の機会が格段に上昇します。

音声通話のためのツールから、ネットにアクセスするためのモバイル端末へと使い道のシフトが始まったのがこの時期でした。

当時の日本の携帯電話市場を独占していたドコモ、KDDI、ソフトバンクの3社は、端末にロックをかけてキャリアの乗り換えを禁止することで、ユーザーを囲い込んでいました。

そこへ革命をもたらしたのがiPhoneです。

2007年に誕生したiPhoneは、通信の歴史におけるイノベーションでした。携帯キャリアとは関係のないメールアドレスも使えて、PCと同じようにウェブサイトに自由にアクセスできる。

BlackBerry（ブラックベリー）を筆頭としたウェブ端末でもある携帯電話はiPhone以前

にもありました。しかし、「携帯電話を再定義する」と宣言したスティーブ・ジョブズの言葉通りに、シンプルで美しいビジュアルと直感的に操作できるタッチパネルのモバイル端末は、3Gという国際標準も追い風になり、瞬く間に世界を虜(とりこ)にしていきます。さらに、2010年頃から登場した4Gによって動画や配信サービス、SNSが普及すると4G＝ほぼスマホユーザーという構図が生まれ、ガラケーの利用者を抜いて右肩上がりに増加。

2020年からは最新の5Gが登場していることは皆さんもご存知でしょう。同年の日本のインターネット利用率(個人)は83パーセント。端末別で見るとスマホからのネット利用がPCを上回っています。

◆日本の携帯電話は「オセロの角」を取れなかった

かつて日本の携帯電話メーカーは世界のトップ集団に入っていました。自動車電話サービス、カメラ付き携帯電話、iモード、おサイフケータイ、いずれも世界の中では進んでいた日本企業のテクノロジーです。

そんな日本が、なぜ携帯電話市場でイノベーションを起こせなかったのか。

オセロのゲームにたとえるなら、「角」を取れなかったからです。

まず日本の場合、携帯電話のデザインの主導権を握っていたのは、メーカーではなくキャリア側でした。つまり、携帯電話を開発するメーカー側ではなく、それを注文する側である通信会社のほうが、圧倒的に力が強かったのです。

それゆえにメーカー発の新規性のあるアイデアや新しい機能が通りづらい業界構造になっていた点に大きな問題がありました。発注側とメーカーの主従関係が強固なほど、イノベーションは生まれづらくなることは想像にたやすいでしょう。

「いや、ａｕはデザイン性の高い携帯電話を出していたはずだ」と当時を知る人なら思い出したかもしれません。確かに、ａｕは２０００年代前半からプロダクトデザイナーと組み、「INFOBAR」に代表されるユニークかつスタイリッシュな「デザインのいいケータイ」を次々に発表して人気を呼びました。

しかし、厳しい言い方をするならば、斬新だったのは見た目のデザインだけであり、そこに機能性も考慮した新しいテクノロジーは見当たりませんでした。中身は他のケータイとさほど変わらなかったのです。そしてデザインだけのプロダクトは、一定期間が過ぎると新鮮さが失われてしまいます。

◆「引き算」ができない日本企業の弱み

最先端を走っていたテクノロジーにおいても、「足し算」をひたすらに重ねてしまう日本企業特有の姿勢が次第に裏目に出ました。

日本企業の評価基準は、基本的に減点主義です。

挑戦に失敗してマイナス評価をつけられるくらいなら、既定路線を維持したほうが出世できます。すると何が起きるのか。重要なポイントの「引き算」ができないまま、本質的ではない「足し算」の機能だけを重ねることになるのです。

「この機能を捨てるとあとで不満が出るかもしれない。それならとりあえずは保持しておいて、目新しさを出すために新機能を加えよう」

当時の携帯電話業界の構造下で、メーカー側がこうした発想になってしまうのは当然のことでした。

そもそも、ものづくりとは合理性や減点主義とは本来的に相性が悪いものです。本気でよい製品を通じてイノベーションを起こそうと思うのであれば、徹底してこだわり、大胆にリスクを取りに行くしか成功に至る道はありません。そのためにはプロダクトを開発する側に意思決定者がいるべきです。

iPhone が登場した当初、携帯電話の専門家からは否定的な声が噴出しました。「おサイフケータイがないなんて不便だろう」「防水機能がない」「バッテリーの持ちも悪い」「赤外線通信ができない」「こんな携帯電話は日本で売れるわけがない」

携帯電話に詳しい立場の人からの評価は散々でした。

けれどもそれらはすべて、オセロでいうところの「角」ではなかったのです。一般的な消費者からすると細部に過ぎません。

iPhone の最大の新規性は、アップルが運営するアプリストア「App Store」です。各種SNSからエンタメ、ゲーム、仕事管理まで、ありとあらゆるアプリが自由にダウンロードできて使える。これこそがオセロの「角」であり、既存の携帯電話にはできなかった最大のポイントでした。

iPhone 誕生当時を知る人であれば、初めて触れたときのインターフェースの心地よさ、直感的でわかりやすいタッチパネル、なめらかな操作性にきっと驚かされたはずです。テクノロジーがわからない人にも伝わる、ガラケーとは異なる新鮮な快適さが iPhone にはありました。五感を刺激して本能に訴えかける快適さがある。

これは「イノベーション」と呼ばれるプロダクトやサービスの共通点でしょう。だからこそ、iPhone はデザインケータイのような一時のブームで終わらず、世界の国々に普及していったのです。たんにデザインシンキングを導入すればよいという単純な話ではありません。

◆お客様は神様ではない、だがニーズは変化する

日本のものづくりの発展を阻害してきた考え方のひとつに、「お客様は神様」があります。これは、料理にたとえるとわかりやすいでしょう。

あれも食べたいこれも食べたいという客の要望をすべて聞き入れ、言われるがままにつくっても、おいしい料理はできあがりません。

そうではなく、「今の旬はこの良い素材があるから、この料理がきっと合うと思いました」と皿の上に答えを出すのが本来の料理人の仕事です。プロダクト開発も同じです。

そもそもプロダクトデザインとは、アートの世界です。開発者自身が考えを突き詰めて「答え」を出さなければならない。もちろんユーザーの声を参考にすることも大事ですが、過剰に入れ過ぎたり、逆に甘く見積もったりすると優先順位を見誤ります。

iPhone誕生以前、最先端を行く欧米企業が社員に支給するモバイル端末といえばブラックベリー一択でした。ブラックベリーには独自ＯＳ向けのアプリストアがありましたが、あまりにも仕事用に偏（かたよ）りすぎていました。

仕事用に偏っているとは端的にいうと、ブラックベリーは仕事でセキュリティのために会社から支給されるもので、自分から進んで購入したいという一般の人は少なかったのです。逆にiPhoneは手にした人がプライベートでも「もっと使ってみたい」と思わせる欲求を掻き立てられていました。

やがてiPhone側がセキュリティ対策に本格的に力を入れ始め、ビジネス系のアプリも充実してくると、「それならiPhoneの１台持ちでいい」と多くのユーザーはブラックベリーを手放していきます。会社から支給されたから持っているブラックベリーと、自らお金を払って手に入れたiPhone、どちらへの愛着がより高まるかは論じるまでもありません。

こうして２０１０年代には法人向けの携帯電話端末で圧倒的なシェアを誇っていたブラックベリーは、新時代のユーザーのニーズを見誤ってしまったのです。

携帯電話にかぎらず、一定の評価を得られるプロダクトであれば、どこかに〝振り切っている点〟が必ずあるはずです。

◆革新的な新製品とは「再定義」である

2007年、アップルのCEOであったスティーブ・ジョブズは、iPhone発表の一言目でこう告げました。一般大衆が「こういうものだ」と思ってきた携帯電話の共通理解をここから改めて定義し直す、と彼は宣言したのです。

「Today, Apple is going to reinvent the phone」(今日、アップルは電話を再発明する)

その言葉通り、iPhone登場以降、「電話」の概念は変わりました。アップルは同じ「再定義」を今、金融の世界でも繰り広げています。

ではこの先、「携帯電話」はどう変わっていくのか。単なる延長線上の進化は誰でも予想できます。通信と処理はより速くなりますが、どこかの点で「今のタッチパネルが本当に操作にベストなのか?」という論点が待ち受けています。

指でタッチして入力するよりももっと簡単な方法、たとえば2022年3月にKDDIとドコモが共同開発した「Nreal Air（エンリアルエアー）」のようなメガネ型ARグラスがスマホやPCと置き換わる可能性も十分あるでしょう。

しかし、進化のバリエーションがどのルートをたどろうとも重要なのはすべてのデバイスは手段・道具であるという認識を常に頭に入れておくことです。たとえば、TeamsやZoomで会議をするのは、ビデオ会議がしたいからではありません。オンラインで仕事のコミュニケーションを取るための手段・道具として、TeamsやZoomを使っているのです。

電話やインターネットも同じです。

すべての通信は手段であり、時代の変化に合わせてより上位概念を追っていけば、「手段」の形は変化していくのが自然です。固定電話から携帯電話、そしてスマートフォンへと形状が移り変わっても、目的を叶えるための道具であることは変わりません。

人間の思考は、慣れてしまうと目的と手段を混同してしまう傾向があります。私たちはなぜその道具を欲するのか？　それを使って何をしたいと考えているのか？

プロダクトのイノベーションとは、その核を突き詰め、再定義していくことに他ならないでしょう。

◆iPhone が米国の携帯電話レベルを引き上げた

今でこそモバイル先進国になったアメリカですが、2000年代前半までのアメリカの携帯電話は国際的に見ると非常に低いレベルにありました。ｉモードなどの新技術やカラー液晶の携帯電話をバンバン出していた当時の日本と比べると、アメリカメーカーの携帯電話は、重くてかさばるボディにモノクロ画面、ソフトウェアの動作も鈍く、バッテリーもすぐ切れて、肝心の通信速度も驚くほど遅いため、散々な評価を受けていました。グーグルが2001年に初めての海外法人に日本を選んだのも、日本が最先端の技術を持つモバイル先進国だったからです。

けれども、iPhone の登場によって風向きが変わりました。iPhone というニュータイプに牽引されるように、グーグルが買収して展開したアンドロイドをはじめ、アメリカで利用できるスマートフォンの技術レベルが徐々に向上していたのです。日本とは対照的に、もとからキャリアの縛りがあまりなく、メーカー主導で開発していた事情もうまく作用しました。

そこから現在に至るまで日本の携帯電話市場が伸び悩むことになった理由には、こうした要因の一つひとつを丁寧に検証していく姿勢が欠けていたからではないでしょうか。

携帯電話に限った話ではありません。

自分たちの何がどう駄目だったのか。尊厳を守りつつ、率直に議論し、きちんと検証していく。ディベートをあまり好まない文化ゆえか、日本企業はこうした反省と検証の作業をおろそかにしがちです。しかし、反省すべき要因から目を背け、うやむやなまま押し切ると、往々にして傷はさらに広がり、致命傷になりかねません。

組織と自分を同一視して思考停止するのも、日本企業のビジネスパーソンによく見られる傾向です。

会社と個人は別物です。会社の方針と個人の意見は違っているのが当たり前であり、どこかのベクトルが一部で重なることはあっても、すべてが一致することはありえません。けれども終身雇用制度を前提とした従来のメンバーシップ型組織では、批判的な意見を述べると白い目で見られるため、どうしても両者を切り分けて論じづらくなります。

「うちの会社はここが駄目だ」と弱点を自覚し、反省点を互いに共有して検証する土壌がない企業は成長できません。「どうせ上が何とかしてくれるだろう」と考える社員ばかりの組織は腐っていきます。

◆スマホの普及、そして動画の時代が来た

スマートフォンの普及の歴史は、動画の歴史とも密接に関わり合っています。「動く画像」の歴史が始まったのは19世紀終盤でした。「電話」の発明にも深く関わったアメリカの発明家トーマス・エジソンが、「キネトスコープ」と呼ばれる箱を覗き込むタイプの映写機を発明します。次にフランスのリュミエール兄弟が映写機の原型ともいえるシネマトグラフを発明します。20世紀に入ると娯楽としての映画文化が生まれ、映像はモノクロからカラーへと変わり、テレビが各家庭に普及していきます。張り巡らされたアンテナを通じて電波が各家庭に降り注がれるようになったのです。

しかしインターネットの登場で、映像メディアの歴史にも次の転機が訪れます。テレビから動画へとスタンダードが移行したことはこの数年間を振り返れば明らかでしょう。

既存の電話回線を使用するダイヤルアップ接続では、画像を読み込もうとするとダウンロードのスピードが遅く、画質も粗くなってしまう欠点がありました。

ところが、1990年代後半にISDNやADSLが登場したことで通信速度が格段に上昇、画像だけではなく動画もストレスなく楽しめるようになります。

この時期から虎視眈々とインターネットと動画の時代に向けて準備を整えていたのがネットフリックスです。

1997年に設立された同社は、いずれネットで動画の時代が来ることを予見しつつ、まずはDVDのレンタルサービスに着手。定額制レンタルサービスでDVDレンタル業界の1位となり、2002年にはナスダック上場を果たします。

iPhoneが発売された2007年にはビデオ・オン・デマンド方式によるストリーミング配信サービスにコア事業を移行。オリジナル作品の制作にも乗り出し、次々にヒットドラマを生み出して映像コンテンツ制作会社としての地位を確固たるものにしました。

◆ユーチューブの快進撃

こうしたネットフリックスの動きとも並行して、大衆の映像メディアとして最初に大きな波を起こしたのはユーチューブでした。

2005年、動画共有プラットフォームとしてユーチューブが誕生した当初は、多くの映像のプロたちは批判的な立場を取っていました。「素人ばかりが撮影する映像が面白いわけがない」「そもそも画質が粗い」「映像はプロが編集して初めて成り立つものだ」など、映像業界からは非難の嵐でした。

しかしそんな予想とは裏腹に、ユーチューブは猛スピードで爆発的に普及。設立翌年にはグーグルが自社で作ったグーグル・ビデオでは追いつけないと判断し、16・5億ドル（約2000億円）という破格値で買収されます。そこから現在に至るまで、ユーチューブは動画メディアにおける実質上の王者であり続けています。

映像のプロたちが低評価を下したユーチューブが、なぜここまで成長できたのか？

ユーチューブ自体のインターフェースの仕掛けの秀逸さもありますが、インターネットによる数の力も大きな要因でしょう。

同時期に家庭用の光回線が誕生したことで、ネットの通信速度がさらにスピードアップし、動画の投稿や共有はより手軽なものになりました。単純に映像のクオリティだけを比較すれば、素人がつくる動画はプロのものには敵いません。しかし、投稿される動画の数が1万本、10万本、100万本と増えていくと、たとえ面白いものが1万本にひとつしかないとしても、必然的にそこから面白い動画も生まれていきます。

◆新たな黒船「ティックトック」の驚異的伸び率

このままユーチューブが映像メディアのすべてを支配するかと思いや、２０１０年代後半に新たな革新的な動画サービス「ティックトック」が到来します。

中国市場でリリースされた動画特化型ＳＮＳだった同サービスは、２０１８年から世界各国で利用可能になるやいなや、瞬く間に若い世代を中心に大流行しました。

ティックトックの画期的な点は、アプリを起動すると即座に映像が始まることです。「ユーザーは元々何らかの動画を探しているはずだ」というこれまでの前提条件を無視して、勝手にいきなり始まってしまう。ただし、この動画はつまらない、合わないなと思えばスワイプすれば、次の動画がまたすぐに始まる。「これは面白いな」と感じて見続けると、それに近い別の動画が次に現れる……。人工知能による画像の解析がより向上したことで一部実現しているこの繰り返しによってユーザーの嗜好を予測し、最適化していく仕組みになっています。数十秒の短い動画がほとんどであるため、見続けてもユーザーに負担がかからない点もポイントでしょう。

また、ユーチューブはアップロードされている動画の数が多いため、ツイッターなどでバズらない限りは他の動画の中に自分の投稿動画が埋もれてしまいますが、アルゴリズムの中でもランダムに動画がシェアされる要素があるティックトックであれば、「はじめまして」と自己紹介しただけでも自動的に数万の人に見てもらえます。これは動画をアップする人たちにとってはとてもありがたい仕組みなのです。

２０２１年には世界のアクティブユーザー数が10億人を突破。時価総額は推定４０００億ドル（約50兆円）ともいわれており、事実であれば日本企業のトップを走るトヨタの時価総額の１・５倍の企業価値を設立4年で実現できていることになります。ここまで驚異的な伸び率を見せる企業は世界的にも滅多にありません。しかし、サービスの広がり方は、スマートフォンの普及や、通信の高速化に関係しているので、これまで以上に伸び率を記録する企業も出てくるでしょう。

私自身もティックトックの勢いを体感した出来事があります。

数年前、ボストンの空港に降り立ったゲートでたまたま近くで搭乗待ちをしていた大学生たちが、「搭乗までちょっと時間があるからティックトックの動画を撮ろう」と話し始め、人気ダンスのイントロ部分をその場で踊り、すぐさまアップする場面に居合わせたのです。

「暇だからちょっとみんなで撮ってティックトックにあげてみようか」と考え、実際に行動する若者が大勢いる。

これがティックトックとユーチューブの大きな違いでしょう。

ユーチューブを見て楽しむ人は世界中にいますが、「投稿する側」に回る層は全体の数パーセントといわれています。けれどもティックトックは若い世代だと全体の20パーセント以上が「投稿する側」に回っているという驚異的な特徴があります。友人と撮るという意味では思い出を残し、かつ反響や共感も見られるというメリットもあります。これはZ世代より下の若い世代は、ネットに顔を出すことへの抵抗感が薄まっていることも関係しているでしょう。

これら複数の要因が絡まり合い、ティックトック登場によってクリエイターの裾野が一気に広がり、認知度が上がり、さらにクリエイターが投稿するメリットが増えるという好循環が高速で回転して急成長を実現してきました。

◆映像業界のヒエラルキーは崩れつつある

ユーチューブやティックトックの登場は、それまで常識とされていた映像業界のヒエラルキーを打ち砕きました。

かつて映像メディアの世界では、ヒエラルキーの最上位に映画があり、その下にドラマがあり、それ以外のコンテンツという構造になっていました。映像業界のプロたちが新顔のユーチューブに批判的だったのも、そうした階層構造が先入観として関連しています。けれども通信の進化によって、動画を見るデバイスはＰＣやタブレット、スマートフォンで見るスタイルへとシフトします。

録画もあることから、「7時までには家に帰ってあの番組を見なきゃ」と行動する若者は、もはやほとんど存在しません。一流のスタッフと俳優が制作した大作映画よりも、好きなユーチューバーの動画のほうが好みだと感じる若者も大勢いるでしょう。

結果、テレビ番組は新しい世代には刺さらず、高齢者のためのメディアとして衰退しつつあります。映像メディアの戦争においては、ストリーミングが大幅に勢力を伸ばしたといっていいでしょう。

テレビが衰退した原因には、スポンサーへの配慮も関係しています。

定額サービスのネットフリックスであれば、スポンサーの制約を気にすることなく、思い切った企画や尖（とが）ったアイデアにもクリエイターは挑戦することができます。２０００世帯には刺さらなくても、1パーセントの20世帯に刺されればいい。極端にいえば、各1パーセントにヒットするものを100個つくればいいのです。ネットフリックスの非英語圏作品として初めて世界的大ヒットとなった『イカゲーム』はその好例です。

しかし、テレビ番組においては、面白いアイデアとスポンサーへの配慮を天秤にかけると、優先されるのは当然後者です。どれだけ感情移入をして番組を視聴したか、ではなく、CMがどの程度広く視聴されたかが優先されるため、クリエイターからすると、目指すべき指標が合わないのです。

日本のテレビ局はヒット番組を手掛けたプロデューサーが出世してトップになるケースが多いですが、そもそもコンテンツづくりと事業経営は別であるべきです。プロデューサーとしての才能があったとしても、ストリーミングや短編動画など次々と変化するメディア業界にビジネスとして対応することは、別の経営者としての才能が必要になってきます。

新聞など旧来のメディアとの関連もありますが、ビジネス自体は新しいものを取り込んでいかなければならないでしょう。

事業経営を根本から立て直すためには外部から経営面で優秀な人材を招いて、既存のプロデューサーには、良い番組、次世代の番組を思う存分作ってもらうのが合理的です。

◆動画とゲームは並列なライバル

通信、動画のテクノロジーの進化とも連動しているのがゲームです。デジタルゲーム業界の変革の歴史も追ってみましょう。

2021年、ネットフリックスは同社サービスの一部に「ゲーム」を組み込みました。追加料金は不要で、ドラマや映画と並ぶコンテンツの選択肢のひとつとして、ゲームの提供を始めたのです。これもまた、「映像業界」「ゲーム業界」という業界の垣根が消滅しつつあることの象徴といえるでしょう。時間を取り合うライバルになりうるという意味では同列にあるのです。

家庭用コンピュータゲームの歴史においても、携帯電話と同じくじつは日本が主導的な役割を果たしています。

1970年代後半、アメリカのアタリ社が発売したゲーム機「Atari 2600」が、アメリカ全世帯の3分の1を席巻するほどのメガヒットとなります。ちなみに、アタリ社はスティーブ・ジョブズ氏がかつて勤めていた企業でもあります。これをきっかけにコンピュータゲームという新しい娯楽が大衆の日常に入り込んできました。

そして1983年には任天堂が「ファミリーコンピュータ（ファミコン）」を発売。任天堂はもともと花札やトランプを製造・販売していた会社でしたが、ゲームという土俵の延長線上で携帯型液晶ゲーム機に進出、一般家庭のテレビで遊べるファミコンを開発して大ヒット作となりました。

ここからは一時代を築いてきた任天堂のゲーム機の変遷を主軸に、ゲーム機の進化を見ていきましょう。

任天堂のファミコンがヒットした理由は、性能よりもビジネスモデルづくりのうまさによるところが大きいといえるでしょう。発売当初から機体というハードそのものよりもソフトによる利益を重視し、海外でヒットしていた「ドンキーコング」をファミコンソフトとして移植して話題を集めました。

決定打となったのは「スーパーマリオブラザーズ」でした。「ゲームがしたいからファミコンがほしい」ではなく、「マリオを遊びたいからファミコンがほしい」という熱狂的なファンを生み出し、アメリカでもブームを巻き起こしました。

また、自社が認可したソフトしか販売させないことで、ソフトの質を担保することにも成功します。今のスマートフォンでいうアプリストアのようなプラットフォームを構築していたのです。

◆任天堂、ソニー、セガがしのぎを削る

「ドラゴンクエスト」シリーズの大ヒットや携帯型ゲーム機のゲームボーイ、そしてスーパーファミコンで成功を収めてきた任天堂ですが、多くの迷走と撤退も経験しています。ハードウェアの性能が急激に向上する中で、全方位でさまざまな新しい挑戦を仕掛けてきた任天堂の歴史は、おそらく40代より上の世代であればご存知でしょう。

ゲームソフトを毎回買うのではなく、書き換えられることによってコストを下げようとした「ディスクシステム」、電波＝テレビだった時代に衛星データ放送を使ってゲームのデータが宇宙から降ってくるサテラビューを利用した「スーパーファミコンアワー」の試み、VRゴーグルを先取りしたかのような3D立体視対応ハード機「バーチャルボーイ」など、いずれも商業的には失敗でしたが、前衛的でアグレッシブな姿勢を崩さなかったことが今の任天堂の大成功に貢献しています。

また、1990年代半ばには、セガのセガサターン、ソニー・コンピュータエンタテイ

ンメントのプレイステーションなど次世代機の台頭によって、任天堂の一人勝ち状態は終焉を迎えます。

1997年にはそれまでスーパーファミコンのソフトとして販売されていた「FINAL FANTASY」シリーズが、7作目以降からプレイステーション用に移行されました。

同作はプレステにしか実現できなかったポリゴン処理をはじめ、ハードとソフトが見事に一致した素晴らしい出来だったため、社会現象を巻き起こすヒット作となりました。スーパーファミコンとプレイステーションの勝負はここで決まったといっていいでしょう。

◆42歳の岩田聡氏を社長に大抜擢した英断

2002年、優れたプログラマーだった岩田聡氏(当時42歳)が任天堂の社長に就任します。「星のカービィ」などのファミコン向けのヒット作を開発した株式会社ハル研究所の社長であって、任天堂にはその2年前に中途入社したばかりだった岩田氏を創業家以外で初めて社長に指名したのは、52年もの長きにわたり同社を率いてきた3代目社長・山内溥氏でした。この大胆な若返りが功を奏し、任天堂は再びかつての勢いを取り戻していきます。

新社長となった岩田氏は、ゲーム人口の拡大を基本戦略としつつ、いずれはモバイルでゲームをすることが当たり前になる時代を見据えて、「ニンテンドーDS」から『脳を鍛える大人のDSトレーニング』、通称「脳トレ」をリリース。これが世界で1億5000万台を売り上げる大ヒット商品になりました。

「ニンテンドーDS」は任天堂という企業がインターフェースに注力していることの象徴ともいえるプロダクトでした。

ゲームの本質はハードウェアの性能の優劣ではなく、楽しい時間を過ごすことである――このシンプルな原点に立ち返り、2画面とタッチペンの採用によってインターフェースを刷新したことが、ユーザー層の拡大とのちの「Wii U」のヒット、そして据え置きタイプと携帯タイプを融合させた集大成「ニンテンドースイッチ」のヒットにもつながっていきます。

◆なぜセガと違ったのか

試行錯誤の末に復活した任天堂と明暗が分かれたのがセガです。

1990年代半ばから次世代機として人気を博したセガサターンでしたが、最後の家庭用ゲーム機「ドリームキャスト」が２００１年に製造中止となり、家庭用ハード事業から撤退しました。

対戦格闘ゲーム「バーチャファイター」はセガサターンの売上に大いに貢献しましたが、その後に続くソフトで「FINAL FANTASY」のような大型ヒットを出せなかったことが敗因のひとつでしょう。

セガサターンのハード構成は過去に例を見ないほど非常にハイレベルで豪華なものでした。しかし、前述したようにほとんどの消費者はハードの性能だけでゲーム機を選びません。それよりも「あのゲームをやってみたいから、このゲーム機がほしい」という思いから購入に至るほうが自然な動機でしょう。

つまり、中くらいのヒットが10作あるよりも、強烈な大ヒット作がひとつあるほうが、新しいユーザーを圧倒的に呼び込みやすいのです。

また、ソフトに推奨年齢を示すレーティングマークをいち早く日本で導入したのはセガでしたが、18歳未満禁止のアダルトソフトを多くリリースしたことが、子どもを持つ家庭から敬遠される事態を招きました。

セガサターンはゲーム好きなコア層、マニアックなユーザーからは好まれたのですが、

「これからゲームをする」幅広い層には訴求できませんでした。そして後者のほうが圧倒的多数であることは言うまでもないでしょう。

◆狙いは正しかったドリームキャスト

セガサターンに替わる新型家庭用ゲーム機として、1998年に発売された「ドリームキャスト」の歩みも振り返ってみましょう。本格的なオンラインコミュニケーション機能を持つ業界初の家庭用ゲーム機として誕生したドリームキャストの「ゲームと通信の融合」という狙い自体は間違っていませんでした。

インターネット通信用モデムを標準搭載したドリームキャストは、ブラウザでウェブサイトを見たり、チャットができたりするというこれまでにない次世代機でした。ゲーム機としては確かに新しい機能です。高速回線を使ったネットワーク対戦も、ゲーム好きには魅力的だったはずです。

けれども90年代後半といえば、すでにパソコンが世に出回っている時期です。そのタイミングで、あえてドリームキャストでインターネットをしようと購入に踏み切る人がどれほどいたでしょうか。また、発売当時はADSL登場以前、ダイヤルアップ接続の時代です。ネットで快適に遊べる環境は一般にはまだ整っていませんでした。

さらに半導体のチップの開発が大幅に遅れ、年末商戦というもっとも大事なタイミングを逸したことも大きな痛手となりました。そして、売上台数の少なさからソフトウェアの参入も減少。ハードは手に入りづらく、ソフトの品揃えも少ないという難しい状況が続いたことで、ユーザーからの信頼を得られませんでした。

狙いは正しく、スペックも高性能だったが、ライト層とコア層のバランス、開発環境、時流の見極めなどのさまざまな要因が絡まり合い、普及が途絶えた——。要約するとこれがドリームキャストがセガの最後の家庭用ゲーム機となった原因でしょう。

セガサターン、ドリームキャストの失敗からは、イノベーションを起こす難しさが窺えます。

◆ゲーム業界のイノベーションのジレンマ

そして現在、ゲームの世界はハードウェアを第一に選ぶ必要がない時代へと突入しています。携帯電話とスマートフォンの普及によって、携帯型ゲーム機の優位性が一部失われ、ソフトウェアの比重がより高まった流れを受け、『フォートナイト』や『マインクラフト』のようなヒットタイトルは、PC、タブレット、iPhone、Android、ニンテンドースイッチ、どこからでも遊べることが普通になってしまったからです。ハードウェアの性能を磨き上げてきたメーカー各社にとって、この状況はまさにイノベーションのジレンマでした。

今後、さらに回線が高速化していくと、ストリーミング配信によってゲームができる部分が増えるため、ゲームソフト自体を買う必要性も失われ、定額制に移行していくかもしれません。

また、ゲームの実況中継という新ジャンルのコンテンツが登場したことも大きく影響を及ぼしています。自分がゲームをするだけではなく、他人のプレイを見て観客として楽しみたい。こうした新たなマーケットの拡大を見極めて、マイクロソフトやアマゾン、ソニーは巨額を投じてゲーム実況サイトを買収済みです。

近い将来、ゲームの世界はプレイを通じたユーザー同士の交流や投げ銭、スーパープレイの収益化を通じて、今よりもっと多岐にわたる楽しみ方が拡大していきます。

◆カメラ業界を変えたスマホのカメラ

スマートフォンの普及によってもうひとつ、業界構造の変革を迫られたのがカメラ業界でした。

ガラケーにカメラが搭載されて「写メる」(写真のメールを送る)カルチャーが流行しても、カメラメーカーはその価値を過小評価していました。小さな画面に写る粗い画像の写メなどは敵とみなすまでもなかったのでしょう。ユーチューブが現れたときの映像業界のプロと同じ構造です。

けれどもスマートフォンの普及によって一気にゲームチェンジが起きます。

画質が向上し、SNSで画像がシェアできるようになったことで、現像するよりも、デジタルでそのまま見せたほうが効率よくなったのです。写真というメディアの本来の目的が「誰か(自分も含め)に見せるため」ということを考えると、大手カメラメーカーがスマートフォンに顧客を奪われたのは当然の流れでした。

もちろん、大手カメラメーカーも手をこまぬいていたわけではありませんでしたが、スマートフォンの爆発的な普及速度は想像以上でした。

結果として熱量の高いファンが一定数いるデジタル一眼レフカメラは存続しているものの、コンパクトデジタルカメラは出荷台数が大幅に縮小し、スマートフォンにその座を奪われることになりました。1〜3万円を払ってデジタルカメラを別で持つくらいなら、良いカメラ機能を搭載しているスマホを購入したほうが合理的だからです。

メーカー各社は富士フイルムのように化粧品や医療機器など別事業に軸足を移すか、ソニーやキヤノンのようにより高度な機能を搭載したプロ向けに特化した製品を出すか、もしくはカシオやコニカミノルタのようにデジカメ事業から撤退するか、のいずれかに分岐していきました。この先、カメラという製品に関していえば、「美しい画像が撮れます。以上」で完結してしまう商品はプロ向け以外では難しくなりつつあります。

美しい画像や動画が撮れることは、もはや出発地点です。そこからどのような加工のニーズが求められているか、SNSでどれだけ手軽に共有や配信ができるのか、AIをどう活用するか、画像をNFTにするためにはどうすればいいか……。

変化する社会のニーズを読み、先回りして、顧客がうなる新たな機能を搭載していくことが今後はますます重要になっていくでしょう。

終章
ゲームチェンジャーの条件

◆「戦後日本のイノベーション100選」から見えること

日本の優れたイノベーションを選定した「戦後日本のイノベーション100選」という公益社団法人発明協会による事業をご存知でしょうか。

公式サイトがあるのでぜひ覗いてみてほしいのですが、内視鏡、インスタントラーメン、トヨタ生産方式、ウォークマン、ウォシュレット、発光ダイオード、ハイブリッドカー、QRコードなど、「なるほど」とうなずけるような日本発のイノベーションが詳しく紹介されています。

戦争による空襲で焼け野原となった日本が経済復興を果たし、これらのイノベーションを生み出したことは驚異的です。しかし一方で、「では、今の日本で同じようにイノベーションは起こせているのか？」と感じた人も多いのではないでしょうか。

過去にはさまざまな領域で起きていたはずのイノベーションが、なぜ今は起こせていないのか。なぜ、日本企業は時代の流行や構造を一変させるゲームチェンジャーが現れなくなったのか。

最終章ではその理由を探り、日本がイノベーションを再び起こせるようになっていくための提言を述べていきます。

◆イノベーションの主戦場が変わった

なぜ日本はイノベーションを起こせない国へと変わってしまったのか。

結論から言うと、「主戦場が変わった」ことが大きな要因です。

テクノロジーの進化がデジタル領域中心になってきたため、ハードウェアでの革新が起こしづらくなった。

イノベーションのインパクトを測る際には、「どれだけ消費者の生活を大きく変えたか」という視点があります。そこに注目すると、近年、さまざまな新しいサービスが出てきているのは間違いなくデジタル領域、つまりソフトウェアやクラウドの世界でしょう。

では、ソフトウェアで日本がスタンダードを取れているところはあるかというと、悲しいながらほとんどありません。強いてあげるならば、ゲーム業界、「ニンテンドースイッチ」での作品くらいではないでしょうか。それ以外に関しては、そもそも戦いの主戦場となるプラットフォームをアメリカが制しているのが実情です。そしてプラットフォームの中で戦っているだけでは、イノベーションまでの変革が起こしづらくなります。

では、まったく違う別の主戦場をつくり出せるかというと、それをやるだけの経営体力や、技術的なビジョンを持った企業が少ない。こういった具体的な未来、夢を実現させたいという元気さがないのです。

◆試行錯誤をする体力が失われている

「失われた20年」はいつの間にか「失われた30年」へと期間延長されてしまいました。日本の株式市場は長らく低迷を続けています。

国際経営開発研究所（ＩＭＤ）が毎年発表している「世界競争力ランキング」２０２１年版で、日本は31位でした。１９８９年からバブル終焉の１９９２年まで、４年連続首位に輝いていた過去と比べると、落差の激しさに驚くでしょう。

戦後の日本企業の動きを振り返ってみると、資金力や規模に関係なく、「何でもやっていこう」「何回失敗してもまたチャレンジしよう」という熱気と勢いを持つ企業が、今よりずっと多かったように見受けられます。

いまや世界中でもっともポピュラーな即席食品のひとつであり、巨大市場に成長したインスタントラーメンもそうでした。

インスタントラーメンのパイオニアとなった日清食品の「チキンラーメン」は、開発チームの数え切れないほどの試行錯誤とベンチャー精神により、油で揚げることで麺の水分を飛ばす「瞬間油熱乾燥法」という新技術によって生み出された革新的な食品です。

日清食品の創業者である安藤百福（あんどうももふく）は、終戦間際の大阪大空襲によってすべての工場・事務所を失いながらも、戦後に一（いち）から日清食品を立ち上げた人物です。即席性の高いラーメンという新カテゴリーを創造した安藤百福は、まぎれもなく世界的なイノベーターといえるでしょう。今の日本ではそういった気概が失われつつあります。

また、戦後日本にはアメリカという明確な先を行くモデルがありました。アメリカに追いつけ、追い越せというわかりやすいモチベーションがあったからこそ、飽くなきチャレンジと試行錯誤が可能になった側面も大きいでしょう。

今、アメリカでは、人工知能など用途に合わせた先端の半導体、ＥＶ向けバッテリー、５Ｇアンテナ（チップ）など多くの分野で韓国や台湾と提携しなければ競争力を保てない分野が出てきており、アメリカ国内で工場を建てるなど急務として試行錯誤を続けています。日本にとって教科書がない状態なのです。アメリカの首都ワシントンから日本への期待もあるのですが、なかなか応えられていない状態です。

◆日本の予算のかけ方は遅行指標

2010年に中国に抜かれるまで、日本の国内総生産（GDP）は世界第2位でした。しかし、「自分たちは世界2位の経済大国だ」という自負こそが日本企業を縛り、日本経済を停滞させてしまった一因のようにも感じられます。「我々はやればできる」というプライドと積み上げられた実績によって、かつては旺盛だったチャレンジ精神が削がれてしまったのかもしれません。

しかし、月並みな言い方になってしまいますが、失敗を恐れてチャレンジをしないことが続けば、永遠に大きな結果は出せません。「あれもこれもやってみよう」と率先して実行する人材が減ると、常識を覆すような発見につながらないのです。

先行指標と遅行指標という言葉があります。

日本の技術予算のかけ方は、経済指標の先行指標と遅行指標でいえば遅行指標です。ノーベル賞クラスの大発見が出てようやく、大義名分がついたように予算を集中投下するような意思決定になりがちです。

偶然によって発見を得た島津製作所・田中耕一氏によるソフトレーザー脱離イオン化

法、青色発光ダイオード（LED）、iPS細胞……日本人の誰かがノーベル賞を受賞して、その研究分野に予算が多く注ぎ込まれ、学生の枠も増えるようになる。その繰り返しでした。説明が簡単だからというのもあるでしょう。しかし、本来、予算や学生の枠は未来を見通しての配分にしなければなりません。これは減点主義の組織では難しく、正しく見通せ、意思決定できる人が報われる組織が予算を配分しなければなりません。

◆令和にノーベル賞ラッシュは続けられるのか

平成の31年間を通じて、日本は科学系の分野で18ものノーベル賞（外国籍取得者も含む）を受賞しています。

しかし、これらは見方を変えれば平成の功績ではなく、右肩上がりの成長が続いた昭和の置き土産（みやげ）ともいえます。遅行指標なのです。昭和での研究の成果がようやく平成で出てきたわけであって、そこに単に追加投資をすれば、次の発見につながるとは限りません。これまで見てきたような、技術の変化の歴史を見れば明らかでしょう。ベンチャー投資のように、先を読んで、資金を配分していかなければなりません。

しかし、足元では国際競争力を示す一流雑誌への日本からの掲載論文数の数は低下の一途をたどっています。

日本の研究者が発表した論文が他の論文にどれだけ多く引用されているかを示す「注目度の高い論文」にあたる「トップ10パーセント補正論文数」のデータでも、2021年はインドに抜かれて前年の9位から10位に後退しています。国際競争力の順位が転落した今、どこに資金を分配するかは、非常に重要になってきています。

◆アカデミアが尖れない日本の弱点

一方で、日本のアカデミアにおける研究費の分配構造にも問題があります。

イノベーションの一部を生み出すのは、基本的には研究者のアイデアです。

しかし、日本の大学は講座制という形で著名な教授に予算が集中する傾向があるため、准教授などの若い研究者にまで研究費が分配されない構造になっています。古い世代のトップが首を縦に振らなければ、プロジェクトがスタートできない。健全な競争原理が導入されづらく、古い世代に否定されるような研究がしづらいのが日本の大学システムです。

海外では理系の分野で革新的な研究を行なっている研究者の多くは20～30代の若手層であるにもかかわらず、です。本来ならばアカデミアはその時期にもっと尖って成果を出せるはずなのです。

2021年、米国プリンストン大学の上席研究員である真鍋淑郎(まなべしゅくろう)さんが、地球温暖化の予測モデルを切り開いた功績が評価されてノーベル物理学賞に選ばれました。真鍋さんは愛媛県出身の日本人ですが、東京大学大学院で気象学博士課程を修了後、渡米して米国籍を取得したため、「米国人」としてのノーベル賞受賞となりました。

受賞会見で出た「なぜ日本からアメリカに国籍を変更したのか」という記者からの質問に対して、真鍋さんは「日本の人々は、いつもお互いのことを気にしている。調和を重んじる関係性を築くから」「アメリカでは、他人の気持ちを気にする必要がありません」「アメリカでの暮らしは素晴らしいと思っています。おそらく、私のような研究者にとっては、好きな研究を何でもできるから」と語ったことは、日本のアカデミアが抱える構造的な問題に広く注目を集めるきっかけにもなりました。

◆海外への「頭脳流出」が加速している

アメリカの大学は教授になるまでのハードルは高いのですが、若手であっても基本的には自分のラボを持てます。そこで研究成果を出すことができれば、「ネイチャー」のようなハイレベルなジャーナル誌に論文が掲載される可能性もあります。そういうチャンスが可視化されていることは、研究者にとってモチベーションになるでしょう。

対して、日本の大学は年功序列が基本です。誰かの顔を立てないと予算も下りないし、オリジナルな研究もやりづらい。国家予算における研究費の割合は年々縮小しています。大量の書類を書かないと、スーパーコンピュータの使用許可すらも下りません。

自由度と裁量が狭く、研究よりも雑務に手が取られてしまう日本のアカデミアは、研究者にとっては理想的な環境とはいえません。

そうした日本特有の閉鎖性や不自由さに見切りをつけて、研究環境の場を海外の研究機関や企業に乗り換えた優秀な日本人研究者は、真鍋さんだけではありません。

光で化学反応を起こす「光触媒反応」の発見者であり、ノーベル賞候補にも挙がる藤嶋(ふじしま)昭(あきら)・東京理科大学栄誉教授は、２０２１年に自ら育成した研究チームごと中国の上海(シャンハイ)理工大学に移籍。自民党の政治家たちは「頭脳流出だ」と危機感をあらわにし、学界をざわつかせました。

◆イノベーションの一部は研究者の発想

また、2022年3月には、理化学研究所の研究職およそ600人が2023年3月末で雇い止めされる可能性が発覚しました。理研は成果が出るまでに時間がかかる基礎研究を推進しているため、国に資金を依存する従来のやり方ではすでに危うい立場に追い込まれているのです。

労働組合側は雇い止めの撤回を求めていますが、こうした構造を打開できない限り、日本の優秀な研究者が国外に移籍してしまう流れは当面続くかもしれません。逆にイギリスでは優秀な人材を囲い込んでいます。世界の大学ランキングで一定以上の上位校であれば、卒業後に就職先がなくとも住める特別ビザを発行しました。日本からは、東京大学、京都大学の2校しか選ばれておらず、他の国からの優秀層にアメリカではなくイギリスを選んでもらおうと誘致に積極的です。

中国は、海外から優秀な研究者を招聘（しょうへい）する中国の人材招致プロジェクト「千人計画」をすでに10年以上実施しています。中国政府はプロジェクトの詳細を明らかにしていませんが、イノベーションの起点は優秀な研究者の頭脳である、ということを理解しているからこそのプロジェクトといえるでしょう。

しかし、学術研究の発展は、ビジネスの創出、イノベーションと直結しています。

独創的な研究を自由にできない環境、研究予算を引き出すためにサラリーマン化せざるをえないシステムの国では、残念ながらイノベーションは遠ざかる一方でしょう。

国内の産学連携を本気で進めていくことは、再びイノベーションを起こせる国へとなるための最優先事項です。

◆これからの経営層に必要な資質、間違いだらけのCVC

かつてハードウェアが好調だった時代には、ソニーのような大企業が「研究者が自由闊達に議論や研究ができる工場をつくろう」という姿勢を見せていました。

しかし、企業の利益が下がると、研究予算は真っ先に削られる対象になります。

このとき、企業のトップが「この研究は会社の〝虎の子〟になる可能性を秘めている」という判断を下さない限り、イノベーションの芽はみすみす潰されてしまうことになります。

だからこそ、これからの企業の経営陣に求められるのは、めまぐるしく進化を続ける新しいテクノロジーの本質を正確にキャッチアップでき、そして的確に必要なテクノロジーベンチャーを買収するという決断力です。たとえば、買収先を知る目的でCVC（コーポレート・ベンチャー・キャピタル）を立ち上げるという手段がありますが、多くの場合は〝2人組合〟という形で外部の投資家に目利きを外注してしまっており、これではうまくいきません。必ず、外から人材を外の報酬基準で雇い、内製化しなければなりません。それを実現するための最も合理的な方法は、ビジネスもテクノロジーもわかる経営者を選ぶか、外から連れてくることでしょう。全産業・全方位的にIT化が進んでいる世界において、技術のバックグラウンドを理解できなければ、会社の方向性は定まりません。

Ｍｅｔａ（メタ：旧フェイスブック）のマーク・ザッカーバーグ氏、アマゾンのジェフ・ベゾス氏、グーグルのラリー・ページ氏、スペースXとテスラを率いるイーロン・マスク氏、全員が技術を理解して必要なテクノロジーベンチャーを買収しています。これらの企業が躍進できた理由のひとつは、トップが技術をわかっているという条件も無関係ではないでしょう。

もちろん、会社の方向性を決断するトップがエンジニアでなくとも、イノベーションに成功している企業は多数あります。

iPhoneを生んだ故スティーブ・ジョブズはエンジニアではありませんでしたが、最新テクノロジーの本質を素早く理解し、その技術がどのように展開していく可能性があるかをシャープに予測できる優れた才能の持ち主でした。

ジョブズがむしろエンジニアであれば、iPhoneは違う形になっていたかもしれません。

◆ルールの枠を超える人がイノベーターになれる

日本でイノベーションが起こしづらい原因は、テクノロジーがわかる役員（社外役員も含む）が少ないことも無関係ではないでしょう。組織の意思決定層には、最先端のテクノロジーに精通している人が必ずいなければならないのです。

サッカーにたとえるなら、組織のトップが審判であってはならないのです。審判は誰よりもルールを理解していますが、それゆえに頻繁に試合にブレーキをかける立場でもあります。フォワードのように最前線で攻めることはできません。ＩＴ技術のバックグラウンドに理解がない人が組織のトップになるというのは、つまりはそういうことです。

一方で、イノベーションを起こす可能性を秘めているのは、いわば「ルールに疑問を持つことができる」フォワードです。「そんな組み合わせはありえない」「常識的に考えてうまくいくわけがない」という世間や社内の思い込みの壁を次々に突破していける経営幹部こそが、イノベーションに最も近い場所にいるはずです。

極端な言い方をすれば、将来を見越してルールの枠を超える人がイノベーターになりうるのです。

そういった先入観をなるべく排除する才能をうまく活かせる組織であれば、トップがエンジニア出身であってもそうでなくても、イノベーションに近づける確率は高まります。

◆スタートアップとイノベーションは好相性

そういう意味では、先述した起業家（アントレプレナー）が運営するフットワークが軽く、方向転換のコストが低いスタートアップ企業は、イノベーションと本来的に相性がいいといえるでしょう。何かを変えるために、わざわざ大企業を飛び出したスタートアップは、イノベーションしか狙っていません。そこそこの普及を狙うのであれば、それは中小企業です。

既存のアセットがないと不利な事業でない限り、スタートアップのほうが機動力が高く、またしがらみもないため身軽に動けます。失敗しても失うものが少ないため、リスクを取りにいける大胆さもあります。優れたアイデアを武器に投資家を説得し資金調達の目処さえ立てば、社内から予算を獲得するよりも、むしろ事業を動かしやすいでしょう。

やや乱暴にいえば、最初は1億円しか調達できなくても、その1億円でプロトタイプを開発し、それをもとにまた次の資金調達に取り組めれば、雪だるま式に成長できます。

ときにはルールに疑問を持てるフォワード的な考えができる経営者と、財務戦略の立案ができる人がタッグを組むのが理想的なスタートアップ企業の形でしょう。逆に言えば、独創的な考えを持つ人にとっては、これほど起業がしやすい時代はかつてなかったかもしれません。

◆「型」は最終的に崩すためにある

これは日本企業の評価制度とも関係しているのですが、業界を問わず日本のビジネスパーソンに明らかに共通し、イノベーションを遠ざける原因になっている2つの傾向があります。

ひとつは、「型を崩せない」こと。

決められた「型」を保持したまま細部をアップデートしていくことには長けているので

すが、その型を崩して、と言われるとたちまちどうすればいいのかわからなくなる。心当たりがある人も多いのではないでしょうか。

仕事とは前任者の「型」を踏襲するものである。そんな思い込みが無意識のうちに染み付いていると、人は「型を崩す」ことを過剰に怖がるようになります。

なぜなら日本企業の評価制度は減点主義であるため、「チャレンジしてのマイナス」よりも、「無難に引き継いでプラスマイナスゼロ」のほうが、おのずと評価されるからです。

学生時代を思い返してみてください。自分から手を挙げて間違った答えを言うくらいなら、手を挙げずに黙っていたほうがいい、という空気が周囲に漂って（ただよ）いたのではないでしょうか？

大人になった今も「型」を崩すことに抵抗がある人には、そうした刷り込みが残っているのかもしれません。正しい「型」はとても大切なものです。しかし、いつまでも同じ「型」のままでは、時代の変化に置いていかれてしまいます。大切なのは、なぜこの「型」はこの形になったのか？　その理由をそれができた時代の背景に照らし合わせ、もし現代に合わせるのならばどう変えるだろうかという発想を持ち続けることです。

◆「引き算」をする勇気を持つ

ふたつ目の共通点は、「引き算」が下手なことです。

これも前述の「型を崩す」ことの重要性と重なる部分であり、序章でもすでに触れていますが、機能の「足し算」ばかりを繰り返した結果、どこかの時点でユーザーのニーズを見誤ってしまった、という事例が日本の企業には多く見受けられます。

カラフルなボタンがずらりと並び、ほぼすべてに細かい字で用途が表示されているテレビのリモコン、誰も読まないような分厚い説明書が付いてきたガラケーなどは、その例でしょう。

既存のプロダクトやサービスから何かを「引く」という行為は、決断力を求められます。それまであったものをなしにすることは勇気が必要です。引いた結果、クレームが来たり、失望したユーザーが離れていったりすることもあるでしょう。「引く」ことによって、利用者の迷いが少なくなり、利用しやすくなるという新たな価値も打ち出さなければなりません。

そういったリスクを負うだけの価値ある「引き算」をできるかが問われるのです。

しかし、日本文化の特質を考えてみると、日本人は本来ならば「足す」よりも「引く」ことのほうにずっと長けているのではないでしょうか。

かつてスティーブ・ジョブズが通った京都・龍安寺（りょうあんじ）の枯山水（かれさんすい）の庭、侘（わ）び寂（さ）びの美学、世界で最も短い定型詩ともいわれる俳句の世界観……。いずれも極限まで余分なものを削ぎ落とし、そこに生まれた余白を膨らませることに美を見出した「引き算」の思想が反映されています。

日本文化に親しみながら育った人であれば、こうした「引き算」の美意識に触れる機会が比較的多いでしょう。

引くべきものは引く。その判断によって、従来の「型」が崩れることもあるでしょう。個々のビジネスパーソンがその判断の見極めとタイミングを磨く必要性は、今後ますます高まっていくものと思われます。

◆韓国のエンタメはなぜ世界に進出できたか

自国の枠組みを超えて壁を破り、世界的に成功した例といえば、韓国のエンターテインメント業界の勢いが近年際立っています。

非英語作品として初のアカデミー作品賞を射止めた『パラサイト 半地下の家族』、ネットフリックス史上最大のヒットとなったドラマ『イカゲーム』、BTSを筆頭としたアイドルグループの進出、いずれも韓国エンタメの世界進出の事例です。

ヒットの要因はいくつもありますが、共通しているのはあらゆる面で「わかりやすさ」「シンプルさ」に相当時間をかけていることです。

たとえば、『イカゲーム』は主人公が命を賭けたサバイバルゲームに参加する、いわゆるデスゲームものの一種です。ジャンル自体はすでに定番化していますが、日本発のデスゲームものと決定的に異なるのは、ゲームのルールが徹底してシンプルであること。倫理的な問題はさておき、『イカゲーム』は小学生が見ても苦もなく理解できる単純なルールのゲームが展開していきます。『イカゲーム』で最初に出てくるゲームは、日本でいえば「だるまさんがころんだ」、つまり子どもでもわかる遊びです。わかりやすいルール、情け容赦ない展開、ポップでカラフルなゲーム会場。これらの組み合わせがもたらしたインパクトが、有名俳優に頼らないヒットに大きく貢献しています。

ちなみに、『イカゲーム』のアイデアは既存の映画会社からは長年相手にされず、ネットフリックスがリスクをとったといわれています。この動きは加速するでしょう。

対して、日本発のデスゲームはルールの難易度が高い傾向にあり、玄人目線を意識しすぎている印象を受けます。

◆「コンテンツ×伝わりやすさ＝インパクト」

多くのエンタメには「コンテンツ×伝わりやすさ＝インパクト」という因数分解が応用できます。つまり、コンテンツが他と同じようなものであっても、作品のわかりやすさ・伝わりやすさが０・１と低ければインパクトが薄いため、ユーザーには伝わらないのです。

しかし、「伝わりやすさ（わかりやすさ）」の数値を上げることに全身全霊で注力すれば、視聴者に与えるインパクトはおのずと増大します。『イカゲーム』に出てくるゲームと似た子どもの遊びが世界中に存在していることも、参加者の動機が「金」と単純であることも、「わかりやすさ」の助けとなったのでしょう。

社会格差や家族がテーマである『パラサイト 半地下の家族』も、韓国固有の事情としてそれらのテーマを描くのではなく、不条理な現実を他国の観客にもどう伝えるかを意識してつくられています。

◆最初から「外」を意識していく

では、なぜ韓国のエンタメはそこまで徹底して「わかりやすさ」を追求しているのでしょうか。

答えは、最初から「外」、すなわち海外のマーケットを視野に入れているからです。

韓国は1990年代半ばからエンタメコンテンツを国の基幹産業に据え、海外マーケットに輸出することを前提に戦略的に取り組んできました。国内市場の小ささを考えると、最初から外に出ざるを得なかったのです。

これが内向きな日本で、海外に出ることを「余裕があれば」と考えていることとの最も大きな違いでしょう。

日本は韓国に比べるとエンタメ市場の規模が大きいため、国内のファンや視聴者だけを相手にしていればビジネスとして十分に成り立っていました。配役にしても、複数の大手芸能プロダクションの持ち回りやバーターで役が決まることは今も珍しくありません。

クリエイターやアーティストの個々の能力の高さは、これまではその国のエンタメ産業がどの程度発達していたかが影響しています。しかし、ネットフリックスやアマゾンプライムであらゆる国の人たちが同じコンテンツを共有するようになった今の時代においては、国境を越えて能力をつけることができ、才能を乗せる興行としてのシステムが海外マーケット仕様になっているか、それとも内向きで閉じているのかによって、そこから先の展開は大きく変わっていくのです。

◆こんまりも若冲も「外」に再発見されたコンテンツ

日本のエンタメ産業は今以上に「外」の目を意識してコンテンツをブラッシュアップしていく作業が求められます。内向きで通じる論理ではなく、海外から見たときの面白さ、わかりやすさ、新鮮な魅力を発掘することを最優先させることが、コンテンツの質を高めることにもつながっていくでしょう。

韓国と同じ路線を目指す必要はありません。『人生がときめく片づけの魔法』の大ヒットで有名になった〝こんまり〟こと近藤麻理恵(こんどうまりえ)さんは日本の独特な成功例のひとつでしょう。今では日本でも有名ですが、江戸時代の画家、伊藤若冲(いとうじゃくちゅう)の絵画は元々一部の人しか知らず、人気があるものではありませんでした。しかし江戸絵画のコレクターとして著名なエツコ&ジョー・プライス夫妻がニューヨークで見かけた若冲の作品に惚れ込み美術コレクションとしたことがきっかけで、存命だった江戸時代から約200年経った2000年頃に日本でもブームが巻き起こりました。

日本人からするとニッチ、もしくは普通に見えるコンテンツでも、外からの目線で光を当て直すと、別のファン層にリーチできる可能性が広がるのです。

これはエンタメに限らず、あらゆる産業において起こりうることです。

◆「外」の人の知見を借りる

最初から「外」の目線や価値観を意識したものづくりは、言い換えれば「外」の人の知見を借りるということでもあります。

新卒入社でずっとひとつの会社に属しているプロパー社員は、その会社だけの正解、方法論しか知りません。そして同質性が高い組織の中にずっと身を置き続けると、空気を読むことに長けてしまいます。当然、違った視点を持つことが難しくなります。

もしも今いる場所でのイノベーション創出が難しいと感じているのであれば、必要なのは外部からの人材の参入です。

外からやってきた人材には、その世界に首まで浸(つ)かっている人がまったく認識していない盲点にも気づけます。余計なしがらみがないぶん、フラットに可能性を探れるからです。

◆進路を明確にしたソニーの成功

日本企業がイノベーションを狙えそうな分野を考えるならば、確率が高いのはプロ向けでしょう。企業、もしくはプロフェッショナルが唸るような高品質・高性能の製品をつくっていく。

ソニーの「Xperia」シリーズはそのひとつの例です。

高級コンパクトデジタルカメラと同じ独自の1型イメージセンサー搭載の最新スマートフォン「Xperia PRO-I」は、ユーチューバーやビデオジャーナリスト向けに特化した高機能スマートフォンです。プロフェッショナル仕様のパラメーターや設定で高画質でのシネマ撮影も可能であり、映像のプロからも評価を得ています。

さらに2022年6月発売予定の「Xperia 1 IV」は、世界初の望遠光学ズームのほか、スタジオレベルのレコーディングが高音質でできるオーディオプレイヤー、ダイレクトに動画配信ができるライブ配信機能、ゲームプレイ、ゲーム配信などの機能も強化。5G対応で動きの速いゲームにもなめらかな映像で記録できる機能は、SNSとの相性も抜群でしょう。今の時代のクリエイターが求めるニーズにしっかり応えているこのシリーズには、ソニーの技術の粋が詰め込まれています。

いずれもおよそ20万円前後のハイエンドモデルですが、プロ・アマプロ層に徹底して的を絞った姿勢からは、ソニーが自社の強みを存分に理解しており、また発揮できるプロダクトとしてスマートフォンというハードを適切に選んだことがうかがえます。

◆勝ち筋は「100万円の冷蔵庫」

製造業は長らく日本のお家芸でした。そして繰り返し述べているように、日本人は細部まで丁寧にこだわる能力に関しては、抜群に優れています。

皆がはっとするような新しいアイデアは出せなくとも、プロダクトを頑丈にする、精度を上げるというシンプルな機能面をブラッシュアップすることにかけては、日本の創意工夫は素晴らしいものがあります。小惑星探査機「はやぶさ」が大成功したのも、そうした日本の強みをうまく活かせたからでしょう。

ですから、時代の変化を汲み取ってニーズを予測し、方向性を定めた上で、自分たちの強みを遺憾なく発揮できるようなプロダクト開発というルートであれば、イノベーションを創出できる確率は上がります。

たとえば、第一線で活躍する料理人が「こんな機能がほしかったんだ」と感激するような1台100万円の高級冷蔵庫を出す。そうした方向性を模索することが、日本企業の勝ち方にヒントをもたらしてくれるはずです。

◆イノベーション先進国に学ぶ

今の日本は、大量生産方式では勝ちにくい状況にあります。であれば、ニッチでも伸びる分野に狙いを定めるべきでしょう。

そのために最先端のテクノロジーを把握するのなら、まずはイノベーション大国であるアメリカを見て、その上でイスラエルなど他国を見てください。

中国の技術は基本的にアメリカをはじめとした他国の二番煎(せん)じが多いのですが、国家としてフレキシブルに規制改革ができるという圧倒的な強みがあります。極端な話、「国の施策として明日からこれをやる」と宣言すれば、できてしまうのです。国家としてのあり方はまた別の議論になりますが、そういった制度面での枠の外した考え方は日本が学べることも多いはずです。

◆巨人の肩に乗れた人がゲームチェンジャーになれる

本書の冒頭で、「技術革新だけではイノベーションにならない」と述べました。イノベーションという多義的な概念を考慮した上ですが、大前提としてテクノロジーに何ができるのか、どんな可能性を秘めているのかを把握し、好奇心を持って試行錯誤し続けておかなければ、私たちはイノベーションの入口にすら立てません。日本という国は長らく低迷を続け、社会も、そこに属する企業や個人のあり方も、現行方式ではすでに限界を迎えつつあります。

しかし、今からでも遅すぎることはありません。激しい競争が続く今の時代において、イノベーションにつなげられる方法は、サンプリング&リミックス、つまり組み合わせです。そして、ひとつの組織内の知識、ひとりの人間だけの単独の力では、なかなかイノベーションは創出できません。

既存のビジネススタイルや過去の栄光を手放し、業界や業種、国をも越えて、幅広い知見とテクノロジーを組み合わせていく。巨人の肩に乗って、世界の隅々にまでイノベーションの種が落ちていないかと目を凝らしましょう。

組織に迎合しきれていない外部から来た変わり者や部外者は、ゲームチェンジャーに変わる可能性を誰よりも秘めているかもしれません。

技術革新のサイクルは年々スピードアップしています。今の時点では夢物語のようなことも、数年先には新たなテクノロジーの登場によって実現しているはずです。

おわりに

日本からはイノベーションが生まれにくい、もう経済が駄目だ、アメリカはこうやっている……。

嘆くこと自体は簡単です。他国を礼賛（らいさん）することも簡単です。しかし、重要なのは、そこからどう学び、行動するかだと思います。

これまでの歴史を見ていただいた通り、日本からイノベーションが生まれることはありましたし、今できなくなっている理論的な理由はありません。ただ、試行回数や、目のつけどころ、実行できる企業が少なくなっているだけなのです。そして、数々の調査によると新しいことを学ぶ40代以上の人が減少しており、そのことも関連しているでしょう。

ですので、少しでもこの本を通じて、読者の方が関わられている企業の中で、イノベーションに結びつける成功確率を上げてほしいのです。1パーセントでも上がれば、読者の方のなかからひとつ新しい事例に結びつくと思っています。

予算がない、人脈がない、エンジニアがいない、と不利な点を挙げることは簡単です。しかし、じゃあどうするか、どう行動を増やすか、という視点が今の日本に必要だと思っています。

そして、日本が成長することは、世界の人類にどう貢献するかという、日本の枠を超える発想を持つ人がより増えてほしいです。日本のために、ということは、海外の国の人からは共感は得られないでしょう。最大限、発想を広げて、国の枠を超えた共感をつくるリーダーが多数いる国、それが日本の目指す姿なのだと思っています。

感想や建設的なご意見等ございましたら yamamototech2020@gmail.com か、左のＱＲコード（https://bit.ly/2WdCiHh）の情報配信登録フォームからお寄せください。

著者

※感想、お問い合わせは、上記のＱＲコードを読み取っていただいた先のフォームにお寄せください。

切りとり線

★読者のみなさまにお願い

この本をお読みになって、どんな感想をお持ちでしょうか。祥伝社のホームページから書評をお送りいただけたら、ありがたく存じます。今後の企画の参考にさせていただきます。また、次ページの原稿用紙を切り取り、左記まで郵送していただいても結構です。

お寄せいただいた書評は、ご了解のうえ新聞・雑誌などを通じて紹介させていただくこともあります。採用の場合は、特製図書カードを差しあげます。

なお、ご記入いただいたお名前、ご住所、ご連絡先等は、書評紹介の事前了解、謝礼のお届け以外の目的で利用することはありません。また、それらの情報を6カ月を越えて保管することもありません。

〒101-8701（お手紙は郵便番号だけで届きます）
祥伝社　新書編集部
電話03（3265）2310
祥伝社ブックレビュー　www.shodensha.co.jp/bookreview

★本書の購買動機（媒体名、あるいは○をつけてください）

＿＿＿＿新聞の広告を見て	＿＿＿＿誌の広告を見て	＿＿＿＿の書評を見て	＿＿＿＿の Web を見て	書店で見かけて	知人のすすめで

★100字書評……なぜ日本企業はゲームチェンジャーになれないのか

名前

住所

年齢

職業

山本康正　やまもと・やすまさ

1981年、大阪府生まれ。東京大学大学院で修士号取得後、三菱東京 UFJ 銀行（現・三菱 UFJ 銀行）米州本部に就職。その後、ハーバード大学大学院で理学修士号を取得。卒業後にグーグル株式会社に入社。テクノロジーを活用したビジネスモデル変革等のデジタルトランスフォーメーションの支援に携わった。現在はベンチャー投資家として活躍。日本企業やコーポレート・ベンチャー・キャピタルへの助言等を行なう。京都大学経営管理大学院客員教授、プロ野球のパ・リーグをデジタル技術等で支援するパシフィックリーグマーケティング株式会社のテクノロジーアドバイザー等も務める。著書に『2025年を制覇する破壊的企業』（SB 新書）、『世界を変える５つのテクノロジー』（祥伝社新書）など多数。

なぜ日本企業はゲームチェンジャーになれないのか
――イノベーションの興亡と未来

山本康正

2022年７月10日　初版第１刷発行

発行者……………辻 浩明
発行所……………祥伝社しょうでんしゃ
〒101-8701　東京都千代田区神田神保町3-3
電話　03(3265)2081(販売部)
電話　03(3265)2310(編集部)
電話　03(3265)3622(業務部)
ホームページ　www.shodensha.co.jp

装丁者……………盛川和洋
印刷所……………萩原印刷
製本所……………ナショナル製本

Printed in Japan　ISBN978-4-396-11660-6　C0234

〈祥伝社新書〉
経済を知る

478
新富裕層の研究
日本経済を変える新たな仕組み
新富裕層はどのようにして生まれ、富のルールはどう変わったのか
経済評論家 加谷珪一

498
総合商社
その「強さ」と、日本企業の「次」を探る
なぜ日本にだけ存在し、生き残ることができたのか。最強のビジネスモデルを解説
専修大学教授 田中隆之

625
カルトブランディング
顧客を熱狂させる技法
グローバル企業が取り入れる新しいブランディング手法を徹底解説
マーケティングコンサルタント 田中森士

636
世界を変える5つのテクノロジー
SDGs、ESGの最前線
2030年を生き抜く企業のサステナブル戦略を徹底解説
ベンチャー投資家・京都大学経営管理大学院客員教授 山本康正

650
なぜ信用金庫は生き残るのか
激変する金融業界を徹底取材。生き残る企業のヒントがここに！
日刊工業新聞社千葉支局長 鳥羽田継之